Logical Thinking Games

200个

聪明人的逻辑思维游戏

最具挑战和智慧的逻辑思维谜题

陈书凯 编著

中国纺织出版社

内 容 提 要

逻辑能力决定了思考能力、学习能力、管理能力、表达能力。所以生活中不可缺少正确的逻辑思维能力。

本书精心设计的200个受欢迎的逻辑游戏,将让读者的头脑接受惊奇的挑战。这些游戏不仅仅是为了乐趣而设计的,而是为了培养你的逻辑思维能力。当你做完这些游戏后,逻辑推理、运用想象力、关注细节的能力都会提升,并且帮助你用相同的思维技巧解决日常生活和学习中的问题。你可能会得到很棒的点子、有突破性的发现,让你周围的人和那些怀疑你的人感到惊讶。

图书在版编目(CIP)数据

200个聪明人的逻辑思维游戏 / 陈书凯编著.—北京:中国纺织出版社,2006.1 (2006.10 重印)

ISBN 7-5064-3557-8/G·0172

Ⅰ.2… Ⅱ.陈… Ⅲ.智力游戏 Ⅳ.G898.2

中国版本图书馆 CIP 数据核字(2005)第 114755 号

责任编辑:曲小月　　特约编辑:李春梅
责任印制:刘强

中国纺织出版社出版发行
地址:北京东直门南大街6号　邮政编码:100027
邮购电话:010-64168110　传真:010-64168231
http://www.c-textilep.com
E-mail:faxing@c-textilep.com
北京千鹤印刷有限公司印刷　各地新华书店经销
2006 年 1 月第 1 版　2006 年 10 月第 4 次印刷
开本:880×1230　1/32　印张:7.5
字数:150 千字　印数:16001-20000　定价:19.80元

前言
PREFACE

如此逻辑

世界上，逻辑思维很强的人并不太多，而事实上没有什么逻辑思维的人反而占多数。在很多事情上，缺乏逻辑思维或者逻辑思维不是很强的人往往要吃很大的亏。

比如卖东西的卖主，如果逻辑思维不强，当买主多问几句，多选几件商品，或者同时好几个买主围上来时，就会被弄得分不清东南西北。

再如辩论赛的参赛选手，如果逻辑思维不强，只要一开口，就会被对方辩驳得无言以对，而面对对方的数条陈述却会因抓不住对方的弱点，有口难辩。类似场景的最高形式就是在法庭上或商务谈判的过程中，如果你的逻辑思维不够敏捷，会因理解错误或表述错误导致整个谈判的失败甚至是案件的误判，其后果是不堪设想的。

惠普（中国）公司在招聘考试中有这样一道

逻辑思维题：3个魔鬼和3个天使过河，天使人数少于魔鬼就会被吃掉，而一条船只能同时运送2个人过去，请问他们该怎么过河？（答案在本书中查找）

任何公司都不可能是简单的雇佣关系，怎样处理好各种关系，包括像天使与魔鬼这样势如水火的关系，肯定是创造商业奇迹的重要前提之一。惠普（中国）公司无疑是希望它的员工都能冷静、果断地当好商海沉浮中的舵手。

当然，逻辑思维并非天生的，很大程度上依赖于后天的训练，只要不断地训练与积累，就会有令人惊奇的效果。

本书是专门为想提升逻辑思维能力的读者量身订做的书，它避免了一般地说教方式，用一个个生动有趣的游戏来向你一步步展示逻辑思维的奥妙。200个经典的逻辑思维游戏，详细的文字说明，生动的插图，浅显易懂的解说，全方位地调动你的逻辑思维能力，给你带来一顿丰富的逻辑头脑盛宴。

还等什么，赶快翻开下一页吧！

目录
CONTENTS

解答篇

謎題篇

1

轮胎如何换

有一个做长途运输的司机要出发了。他用作运输的车是三轮车，轮胎的寿命是2万里，现在他要进行5万里的长途运输，计划用8个轮胎就完成运输任务，怎样才能做到呢？

2
有几个天使

一个旅行家遇到了 3 个美女，他不知道哪个是天使，哪个是魔鬼。天使常常说真话，魔鬼只说假话。

甲说："在乙和丙之间，至少有一个是天使。"

乙说："在丙和甲之间，至少有一个是魔鬼。"

丙说："我告诉你正确的消息吧。"

你能判断出有几个天使吗？

3
10枚硬币

有10枚硬币。双方轮流从中取走1枚、2枚或者4枚硬币，谁取最后一枚硬币就算输。请问：该怎么做才能获得胜利？

4
换汽水

1元钱一瓶汽水，喝完后两个空瓶换一瓶汽水，如果你有20元钱，最多可以喝到几瓶汽水？

5

环球飞行

　　某航空公司有一个环球飞行计划，但有下列条件：每个飞机只有一个油箱，飞机之间可以相互加油（没有加油机）；一箱油可供一架飞机绕地球飞半圈。为使至少一架飞机绕地球一圈回到起飞时的飞机场，至少需要出动几架次飞机（包括绕地球一周的那架在内）？

　　注意：所有飞机从同一机场起飞，而且必须安全返回机场，不允许中途降落，中间没有飞机场。加油时间忽略不计。

6

最后的弹孔

　　某地著名的富翁被枪杀了。他是站在房子的窗边时，被突然从窗外射来的子弹击中的。也许是凶手的枪法不准，打了4枪，最后一枪才命中。窗户的玻璃上留下4个弹孔。你知道最后一枪的弹孔是哪个吗？

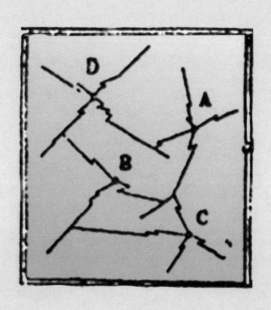

7

淑女裙

娜娜最近买了一条新款淑女裙。朋友们急着想一睹风采，可娜娜却还在卖关子，只给她们一个提示："我这条裙子的颜色是红、黑、黄三种颜色其中的一种。"

"娜娜一定不会买红色的。"小晓说。

"不是黄的就是黑的。"童童说。

"那一定是黑的。"光子说。

最后，娜娜说："你们之中至少有一个人是对的，至少有一个人是错的。"

请问，娜娜的裙子到底是什么颜色的呢？

8
填空格

下面这道题目经常出现在公务员的考试中。请仔细观察，想想问号处该填什么？

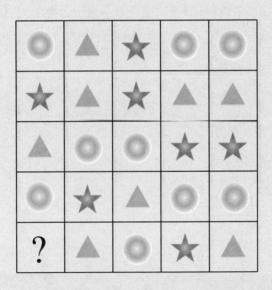

9

七环金链

　　瑞芳在一家珠宝公司工作，由于她工作积极，所以公司决定奖励一条金链。这条金链由7环组成，但是公司规定，每周只能领一环，而且切割费用由自己负责。

　　这让瑞芳感到为难，因为每切一个金环，就需要付一次昂贵的费用，焊接回去还要再付一次费用，想想真不划算。聪明的瑞芳想了一会儿之后，发现了一个不错的方法，她不必将金链分开成7个了，只需要从中取出一个金环，就可以每周都领一个金环，她是怎么做到的呢？

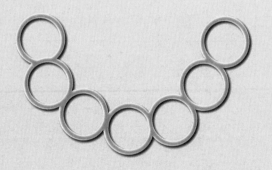

10
母鸡下蛋

一只母鸡想使每行（包括横、竖和斜线）中的鸡蛋不超过两个，它能在蛋格子里下多少蛋？你能在表格中标注出来吗？图中有两个鸡蛋已下好了，因而不能再在这条对角线上下蛋了。

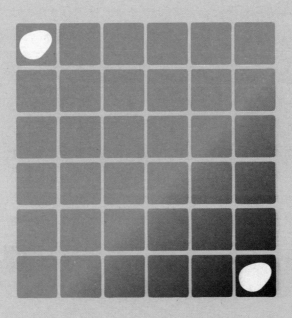

11

新手司机

一位新手司机驾着小轿车会见朋友，半路上忽然有一个轮胎爆了。当他把轮胎上的4个螺丝拆下来，从后备箱里把备用轮胎拿出来时，不小心把4个螺丝踢进了下水道。

请问：新手司机该怎么做才能使轿车安全地开到距离最近的修车厂？

魔方的颜色

　　有一个魔方（如图），所有的面都是绿色。请问：有几个小立方体一面是绿色？有几个小立方体两面是绿色？有几个小立方体三面是绿色？有几个小立方块四面是绿色？有几个立方体所有的面都没有绿色。

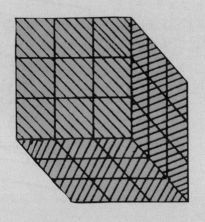

13
一句话定生死

　　有个国王想处死一个囚犯，他决定让囚犯们自己选择是砍头还是绞刑。选择的方法是：囚犯可以任意说出一句话来，如果是真话，就处绞刑，如果是假话，就砍头。

　　有个聪明的囚犯来到国王面前问："如果我说出了一句话，你们既不能绞死我，也不能砍我的头，怎么办？"

　　"如果真是那样的话，我就释放你。"国王说。

　　那个囚犯说了一句话，果然十分巧妙。国王听了左右为难，但又不能言而无信，只好把这位聪明的囚犯释放了。

　　你知道聪明的囚犯说了什么话吗？

14
请病假

有一天，凯凯不想去上学，就让同学帮他带了一张请假条给班主任。为了表明自己真的病得很严重，凯凯用圆珠笔写了满满一张纸描述病情，并强调说自己是躺在病床上仰面写的。但班主任看了之后，就知道凯凯是想逃课。你知道，班主任是怎么看出来的吗？

老实的骗子

老实先生一家人一点都不老实。这天中午吃饭，爷爷先在圆形的餐桌前坐了下来，问其他4个人要怎么坐。没想到他们连这个也要说谎。

妈妈："我坐女儿旁边。"

爸爸："我坐儿子旁边。"

女儿："妈妈是在弟弟的左边。"

儿子："那我右边是妈妈或姐姐。"

请问：他们一家人到底是怎么坐的？

16
单只通过

　　一只蚂蚁在地下通道里爬行，对面又来了一只。由于通道非常狭窄，只能单只通过。幸好，通道一侧有个凹处，刚好能容得下一只蚂蚁，可不巧的是，里面有一个小沙粒，把它移出来后又把通道堵住了，还是无法通行。两只蚂蚁应该怎么做才能都顺利通过呢？

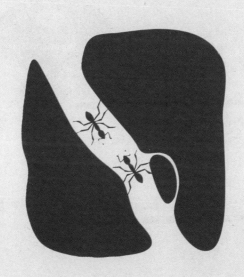

17

奇怪的锁

　　这是一把耶鲁锁的横切面。锁栓的高度因钥匙的插入部分而不同，看起来这是一把有5道保险的坚固的锁。可为什么把钥匙插进去了，却打不开呢？

18
过河

明明牵着一只狗和两只小羊回家，路上遇到一条河，没有桥，只有一条小船，并且船很小，他每次只能带一只狗或一只小羊过河。你能帮他想想办法，把狗和小羊都带过河去，又不让狗吃到小羊吗？

19
强盗分赃

5 个海盗抢到了 100 颗同样大小且价值连城的宝石。他们决定这么分：

用抽签的办法决定自己的号码(1，2，3，4，5)。

首先，由 1 号提出分配方案，然后 5 人进行表决，当且仅当超过半数的人同意时，才能按照他的提案进行分配，否则将被扔入大海喂鲨鱼。

1 号死后，再由 2 号提出分配方案，然后 4 人进行表决，当且仅当超过半数的人同意时，按照他的提案进行分配，否则像 1 号一样，他将被扔入大海喂鲨鱼。其他的分配方法以此类推。

因为每个海盗都是很聪明的人，所以都能很理智地判断得失，做出选择。他们的判断原则是：保命，尽量多得宝石，尽量多杀人。

请问：第一个海盗提出怎样的分配方案才能够使自己的收益最大化？

爱因斯坦的谜题

　　这是爱因斯坦在20世纪初出的谜题。在一条街上，有5座房子，喷了5种颜色。每个房里住着不同国籍的人，每个人喝不同的饮料，抽不同品牌的香烟，养不同的宠物。

请问：谁养鱼？

提示：

① 英国人住红色房子。

② 瑞典人养狗。

③ 丹麦人喝茶。

④ 绿色房子在白色房子左面隔壁。

⑤ 绿色房子主人喝咖啡。

⑥ 抽Pall Mall 香烟的人养鸟。

⑦ 黄色房子主人抽Dunhill 香烟。

⑧ 住在中间房子的人喝牛奶。

⑨ 挪威人住第一间房。

⑩ 抽Blends 香烟的人住在养猫的人隔壁。

⑪ 养马的人住抽Dunhill 香烟的人隔壁。

⑫ 抽Blue Master 的人喝啤酒。

⑬ 德国人在抽Prince 香烟。

⑭ 挪威人住在蓝色房子隔壁。

⑮ 抽Blends 香烟的人有一个喝水的邻居。

21

经过多少次12点处

请问：从8点整到9点整，手表的秒针会多少次经过12点处?

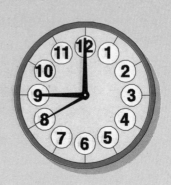

22

到底是星期几

如果今天的前5天是星期六的前3天，那么后天是星期几? 你能猜出来吗?

23
有趣的类比

如果图一阴影部分代表4，那么，图二阴影部分代表几？

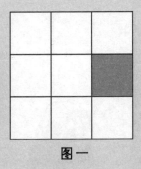
图一

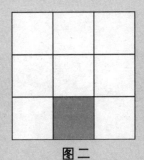
图二

赛马

　　有甲、乙、丙、丁4匹马赛跑，它们共进行了4次比赛。结果是甲快乙3次，乙又快丙3次，丙又快丁3次。很多人会以为，丁跑得最慢，但事实上，丁却快甲3次，这看似矛盾的结果可能发生吗？

25
杰克是哪里人

　　在一次国际型的户外活动中，聚集了好几个国家的人。现在知道，所有的英国人穿西装；所有的美国人穿休闲服；没有既穿西装又穿休闲服的人；杰克穿休闲服。

　　根据以上条件，下面哪个说法一定是正确的？

　　杰克是英国人；

　　杰克不是英国人；

　　杰克是美国人；

　　杰克不是美国人。

26
花瓣游戏

　　有两个女孩摘了一朵有着13片花瓣的圆形的花，两人可以轮流摘掉一片花瓣或相邻的两片花瓣。谁摘掉最后的花瓣谁就是赢家，并以此来预测未来的婚姻是否幸福。实际上只要掌握一定的技巧，就能让自己永远都是赢家。

　　你知道怎样才能在这场游戏中取胜吗？先摘还是后摘？应采取怎样的技巧呢？

27
无价之宝

　　一位在南美洲淘金的老财主不仅淘到了大量的金子，而且淘到了许多钻石。为了向别人炫耀自己的富有，他用自己淘到的钻石镶成一个世界上绝无仅有的无价之宝。第一天，他决定从保险柜里取出一颗钻石；第二天，他取出了6颗钻石一起镶在了第一天钻石的周围；第三天，又多了一圈，变成了两圈；又过了一天，又多了一圈，变成了三圈。六天过后，一颗钻石变成了一个巨大的钻石群，真的成了一块闪闪发光的无价之宝。请问，这块无价之宝一共有多少颗钻石？

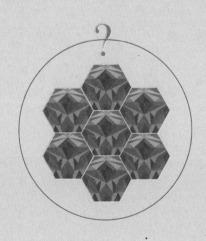

28
纸牌游戏

有 9 张纸牌，分别为 1 ~ 9。甲、乙、丙、丁 4 人取牌，每人取 2 张。现已知甲取的两张牌之和是 10；乙取的两张牌之差是 1；丙取的两张牌之积是 24；丁取的两张牌之商是 3。请说出他们 4 人各拿了哪两张纸牌，剩下的一张又是什么牌？

29
谁是主角

怀特有两个妹妹：贝尔和卡斯；怀特的妻子费伊·布莱克有两个弟弟：迪安和埃兹拉。他们6人中有一位担任了一部电影的主角，其余5人中有一位是该片的导演。

怀特家　　　　　　　布莱克家
亚历克斯：舞蹈家　　迪安：舞蹈家
贝尔：舞蹈家　　　　埃兹拉：歌唱家
卡斯：歌唱家　　　　费伊：歌唱家

① 如果主角和导演是亲属，则导演是个歌唱家；不是亲属，则导演是位男士。

② 如果主角和导演职业不同，则导演姓怀特。

③ 如果主角和导演性别相同，则导演是个舞蹈家；性别不同，则导演姓布莱克。

请问：谁是电影主角？

30
什么时候聚会

有 7 个年轻人，他们是好朋友，每周都要到同一个餐厅吃饭。但是他们去餐厅的次数不同。大力士每天必去，沙沙隔一天去一次，米米每隔两天去一次，玛瑞每隔三天去一次，好好每隔四天才去一次，科特每隔五天才去一次，次数最少的是玛奇，每隔六天才去一次。

昨天是 2 月 29 日，他们愉快地在餐厅碰面了，他们有说有笑，憧憬着下一次碰面时的情景。请问，他们下一次相聚餐厅会是在什么时候？

31

谁是智者

甲、乙、丙3个人中，只有一个是智者。他们一起参加了语文和数学两门考试。

甲说：如果我不是智者，我将不能通过语文考试；如果我是智者，我将能通过数学考试。

乙说：如果我不是智者，我将不能通过数学考试；如果我是智者，我将能通过语文考试。

丙说：如果我不是智者，我将不能通过语文考试；如果我是智者，我将能通过语文考试。

考试结束后，证明这3个人说的都是真话，并且智者是3人中唯一一个通过这两门科目中某门考试的人，也是3个人中唯一的一个没有通过另一门考试的人。

你知道这3个人中，谁是智者吗？

32

谁害了富翁

一个富翁在寓所遇害，4个嫌疑人受到警方传讯。警方有充足的证据证明，在富翁死亡当天，这4个人都单独去过一次富翁的寓所。

在传讯前，这4个人共同商定，每人向警方做的供词条条都是谎言。这几个人所做的供词是：

约翰：我们4个人谁也没有杀害富翁。我离开富翁寓所的时候，他还活着。

罗伯特：我是第二个去富翁寓所的。我到达他寓所的时候，他已经死了。

丹尼：我是第三个去富翁寓所的。我离开他寓所的时候，他还活着。

默里森：凶手不是在我去富翁寓所之后离开的。我到达富翁寓所的时候，他已经死了。

你知道这4个人中谁杀害了富翁吗？

33
种树的难题

有一块地上栽着
16棵美丽的树，它们形
成12行，每行4棵树（如
图）。其实，这16棵树
可以形成15行，每行4
棵树。你知道应当怎样
栽种吗？

34
孪生姐妹

丁丁告诉我这样一件
怪事：有一对孪生姐妹，姐
姐出生在2001年，妹妹出
生在2000年。

你说可能吗？丁丁有
没有撒谎？

35
谁是贫困生

Jane、Kate 和 Lily 是同一所大学的学生，她们中有两位非常聪慧，有两位非常有气质，有两位是才女，有两位家境富裕。每个人至多只有三个令人注目的特点：

——对于 Jane 来说，如果她非常聪慧，那么她家境富裕。

——对于 Kate 和 Lily 来说，如果她们非常有气质，那么她们也是才女。

——对于 Jane 和 Lily 来说，如果她们是家境富裕的，那么她们也是才女。

学校需要找出一名贫困生给予助学金，你知道她们三人中谁是贫困生吗？

36
野炊分工

兄弟 4 人去野炊，他们一个在挑水，一个在烧水，一个在洗菜，一个在淘米。现在知道：老大不挑水也不淘米；老二不洗菜也不挑水；如果老大不洗菜，那么老四就不挑水；老三既不挑水也不淘米。

你知道他们各自在做什么吗？

37
黄色蝴蝶发带和绿色围巾

有4个女子，其中有1人有妖法，她经常撒谎。拉拉和另外两个人是好孩子，她们从不说谎。4个人都系绿色围巾，其中的2条围巾是有妖法的，系上这种围巾即使是好孩子也会说谎，而且，4个人又都带着黄色蝴蝶发带，其中的2条发带是有妖法的，它会使妖法围巾的妖法消失(但是，对有妖法的女子是没有效果的)。

蕾蕾说："思思系着有妖法的围巾。"

思思说："平平戴着妖法蝴蝶发带。"

平平说："拉拉系着妖法围巾。"

拉拉说："思思是有妖法的女子。"

请问哪两个人系着妖法围巾,哪两个人带着妖法发带呢？另外，哪一个是有妖法的女子呢？

38
人和魔鬼

　　有一个地方的人分为四类：正常人、神志不清的人、正常的魔鬼、神志不清的魔鬼。正常人都说真话，神志不清的人都说假话；对魔鬼来说，正常的都说假话，神志不清的却说真话。

　　现在要你问一个问题，就确定回答者到底是哪一类人，你能做到吗？

39

谁在前面，谁在后面

甲、乙、丙、丁、戊和己6个人排成一排开始训练。己没有排在最后，而且他和最后一个人之间还有两个人；戊不是最后一个人；在甲的前面至少还有四个人，但他没有排在最后；丁没有排在第一位，但他前后至少都有两个人；丙没有排在最前面，也没有排在最后。

请问：他们6个人的顺序是怎么排的？

40
是谁闯的祸

有甲、乙、丙、丁4个小朋友在踢足球。其中一个孩子不小心把足球踢到楼上打碎了李阿姨家的玻璃。李阿姨非常生气地走下楼来，问是谁干的。甲说是乙干的，乙说是丁干的，丙说他没干，丁说乙在撒谎。他们四个当中，有三个说了假话。

你知道是谁打碎了李阿姨家的玻璃吗？

41

分机器人

　　8个孩子分32个机器人，分法如下：燕妮得到1个机器人，玫利得到2个，培拉3个，米奇4个，男孩凯德·史密斯得到的机器人和他的妹妹一样多，汤米·安德鲁得到的是他妹妹的2倍，比利·琼斯分得的机器人是他妹妹的3倍，洛克·哈文得到的是他妹妹的4倍。请你猜猜上面4个女孩的姓氏。

　　提示：在西方人名中，如汤米·安德鲁，姓氏居后，即安德鲁。

冬天还是夏天

下面这两幅图，你能区别哪一幅是夏天，哪一幅是冬天吗？

谁是老师

甲、乙、丙是同班同学，其中一个是班长，一个是学习委员，一个是小组组长，现在已知道：丙比组长年龄大，学习委员比乙年龄小，甲和学习委员不同岁。你知道他们 3 个人分别担任什么职务吗？

谁送的礼品

有 5 个嗜酒如命的人，他们的绰号分别是"威士忌"、"鸡尾酒"、"茅台"、"伏特加"和"白兰地"。某年圣诞节，他们之中的每一个人，都向其他4个人中的某一个人赠送了一瓶酒；没有两个人赠送的是相同的礼品；每一件礼品，都是他们中某个人的绰号所表示的酒；没有人赠送或收到的礼品是他自己的绰号所表示的酒。"茅台"先生送给"白兰地"先生的是鸡尾酒；收到白兰地酒的先生把威士忌酒送给了"茅台"先生；其绰号和"鸡尾酒"先生所送的礼品名称相同的先生把自己的礼品送给了"威士忌"先生。

请问："鸡尾酒"先生所收到的礼品是谁送的？

45

三兄弟的房间

　　小明有两个兄弟，他们三兄弟分别住在三个互不相通的房间，每个房间门上都有两把钥匙。

　　请问：如何安排房间的钥匙才能保证小明三兄弟随时都能进入每个房间？

46

汽车是谁的

凯特、丽萨和玛丽每人都拥有3辆车：一辆双门、一辆四门、一辆五门。每个人也都分别有一辆别克、一辆现代、一辆奥迪牌汽车。但是，同一品牌的汽车的门的数量却各不相同：凯特的别克汽车的门的数量与丽萨的现代汽车的门的数量一样；玛丽的别克汽车的门的数量与凯特的现代汽车的门的数量一样；凯特的奥迪汽车为双门，而丽萨的奥迪汽车则有四门。请问：

① 谁拥有一辆双门的别克汽车？
② 谁拥有一辆四门的别克汽车？
③ 谁拥有一辆五门的别克汽车？
④ 谁拥有一辆五门的现代汽车？
⑤ 谁拥有一辆五门的奥迪汽车？

他们点的什么菜

阿德里安、布福德和卡特三人常结伴去餐馆吃饭，他们每人要的不是火腿就是猪排。我们已知下列情况：

① 如果阿德里安要的是火腿，那么布福德要的就是猪排。

② 阿德里安或卡特要的是火腿，但是不会两人都要火腿。

③ 布福德和卡特不会两人都要猪排。

你知道谁昨天要的是火腿，今天要的是猪排吗？

48
一个关键的指纹

    汤姆向欧文斯借了很多钱买了一栋豪华的别墅，可现在都快半年了，汤姆还没有还一分钱。欧文斯实在是无法忍受就按响了门铃，到汤姆的新家要钱。两人在争吵过程中动手打了起来。高大的欧文斯用两只手死死地掐住汤姆的脖子，汤姆在挣扎中左手摸到一个锤子朝欧文斯的头砸去。欧文斯随即倒地停止了呼吸。

    杀死欧文斯后，汤姆马上把欧文斯的尸体拖到后院掩埋起来，然后擦拭干净所有的血迹，再认真清理了沙发、地板和欧文斯所有可能碰过的东西，不留下一个指纹。正当他做完这一切的时候，门外响起了急促的敲门声——是欧文斯的两位警察朋友。欧文斯曾交代，如果他在下午还没有回到家的话，就让他的警察朋友来这里找他。尽管汤姆十分镇定，但警察还是不费吹灰之力就找到欧文斯的唯一一个指纹。你知道这个指纹在哪里吗？

谁男谁女

皮特夫妇有 7 个子女，老大至老七分别为甲、乙、丙、丁、戊、己、庚。目前我们知道 7 个人的如下情况：

①甲有 3 个妹妹；

②乙有一个哥哥；

③丙是女的，她有两个妹妹；

④丁有两个弟弟；

⑤戊有两个姐姐；

⑥己也是女的，但她和庚没有妹妹。

根据这些条件，你能推算出谁是男性，谁是女性吗？

50
难解的血缘关系

比尔、哈文和罗西间有血缘关系，而且他们之间没有违背道德伦理的问题。现在只知道他们当中有比尔的父亲、哈文唯一的女儿和罗西的同胞手足。但是罗西的同胞手足既不是比尔的父亲也不是哈文的女儿。你知道他们当中哪一位与其他两人性别不同？

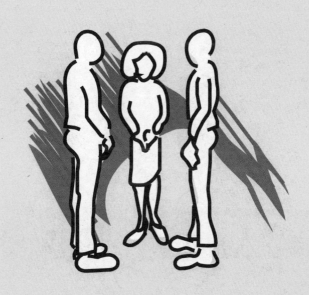

51
谁是幸运者

学校来了A、B、C、D、E 5位应聘舞蹈老师的女士。她们当中有两位年龄超过30岁，另外3位小于30岁。而且有两位女士曾经是老师，其他的3位是秘书。现在只知道A和C属于相同的年龄档，而D和E属于不同的年龄档。B和E的职业相同，C和D的职业不同。但是校长只想挑选一位年龄大于30岁的老师任舞蹈老师。你猜谁是幸运者?

52
买衣服

凯特、吉姆、苏森和乔治来到一家商店选购衣服。售货员介绍道："英雄牌每件90美元，豪杰牌50美元，佳人牌100美元，风华牌95美元。"事后，他们高兴地聊了起来。凯特说："我这件衣服花了90美元。""是吗？"买了佳人牌的人说："我买的比乔治那件价钱要贵。""我选择的是最便宜的一种。"另一个对吉姆说。"而我买的这件比你买的价钱要低一些。"乔治告诉吉姆。根据上述对话，请您判断一下他们4个人分别买的是哪种牌子的衣服？

53
谁在撒谎

有5个学生，在接受学校的小记者团采访时说了下面这些话，你来判断他们中有几个人撒了谎。

小艾说："我上课从来不打瞌睡。"

小美说："小艾撒谎了。"

小静说："我考试时从来不舞弊。"

小惠说："小静在撒谎。"

小叶说："小静和小惠都在撒谎。"

幸运的姑娘们

一个探险家有一次分别从3只凶狠的狼的爪下救出3个姑娘。现在只知道：

① 被救出的姑娘分别是依云、农夫家的女儿和从白狼爪下救出来的姑娘。

② 李琳不是书店家的女儿，茉莉也不是开宾馆家的女儿。

③ 从黑狼爪下救出来的不是书店家的女儿。

④ 从红狼爪下救出来的不是李琳。

⑤ 从黑狼爪下救出的不是茉莉。

根据上面的条件，说说这3个姑娘分别来自哪家？又是从哪种颜色的狼爪下被救出来的？

避暑山庄

　　甲、乙、丙和丁4人分别在上个月不同时间入住到避暑山庄，又在不同的时间分别退了房。现在只知道：

　　① 滞留时间（比如从7日入住，8日离开，滞留时间为2天。）最短的是甲，最长的是丁。乙和丙滞留的时间相同。

　　② 丁不是8日离开的。

　　③ 丁入住的那天，丙已经住在那里了。

　　入住时间是：1日、2日、3日、4日。

　　离开时间是：5日、6日、7日、8日。

　　根据以上条件，你知道他们4人分别的入住时间和离开时间吗？

56
兔子的谎言

有 4 只兔子，年龄从 1~4 岁各不相同。它们中有两只说话了，无论谁说话，如果说的是关于比它大的兔子的话都是假话，说比它小的话都是真话。兔子甲说："兔子乙 3 岁。"兔子丙说："兔子甲不是 1 岁。"

你能知道这 4 只兔子分别是几岁吗？

57

古希腊的传说

　　这是一个流传在古希腊的传说。有一个美丽的公主在河边洗澡，当她洗完后发现放在岸边的衣服被人偷了。关于这件事，受害者、旁观者、目击者和救助者各有说法。她们的说法如果是关于被害者的就是假的，如果是关于其他人的就是真的。请你根据她们的说法判定她们各自的身份。

　　玛丽说："瑞利不是旁观者。"

　　瑞利说："劳尔不是目击者。"

　　露西说："玛丽不是救助者。"

　　劳尔说："瑞利不是目击者。"

58
失窃的公文包

威廉是全球巨轮"伊丽莎白"号的主人。这一天，他邀请业界的好友齐聚"伊丽莎白"远航日本。正当他们玩得高兴时，威廉的一位好友大叫，称他那装有机密文件的公文包丢失了。威廉立刻把船上的5名船员叫了过来一一询问。船长说，刚才他在驾驶舱里一直没走开过，有录像带可以作证；技师说他一直在机械舱保养发动机，好让发动机能一直保持一定的速度，可是没人可以证明；电力工程师告诉威廉，他刚才在顶层甲板更换日本国旗，挂上去以后发现挂倒了，于是重新挂了一次，有国旗可以作证；还有两名船员说他们在休息舱打牌，互相可以作证。

威廉听完，立刻指出了其中一个人在说谎，并且让他交出公文包。聪明的读者，你知道谁在说谎吗？

59
一笔画图

考古人员在希腊进行发掘工作时，使一批奇异的古代遗迹重见天日。他们发现很多纪念碑的碑文上反复出现下面这个由圆和三角形组成的符号。

这个图可以一笔画出，任何线条都不重复画过两次以上。不过，如果采取那种更为一般的，允许同一线条可以随意重复画过的画法，只是要求用尽可能少的转折一笔画出这个图形，它无疑会成为很好的一道趣味题。你知道怎么画吗？

60

猫的谎言

有 3 只猫(白猫、黑猫、花猫)在美丽的小溪中捉鱼，它们每个都捉到了 1~3 条鱼不等，即它们可能各捉到一条，也可能各捉到不同数量的鱼。回来的路上，3 只猫说了下面的话，若是关于比自己捉鱼多的一方说的话就是假的，此外的话都是真的。

白猫："黑猫捉到了两条鱼。"

黑猫："花猫捉到的不是两条鱼。"

花猫："白猫捉到的不是一条鱼。"

请问：它们各自捉了多少条鱼?

61
坐座位

A~F 六个人围着一个六边形的桌子而坐（如下图）。图中已经填好了 A 和 B 的位置，请根据下面的提示依次把其他的空位填满。

①A 坐在 B 右手边隔一个空位的位子。

②C 坐在 D 的正对面。

③E 坐在 F 左手边隔一个空位的位子。

那么，如果 F 不是坐在 D 的隔壁，A 的右边会是谁呢?

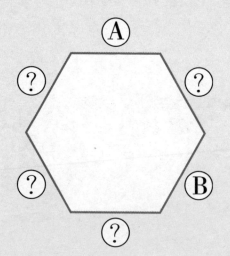

62
探险家的问题

有一位探险家来到一个猛兽经常出没的村庄里，村里住着老实族和骗子族。旅人想知道今天有没有猛兽出没，就去问一个村民，聪明的探险家问了一个问题就知道今天有没有猛兽出没。

请问：他问了一个什么问题？

63

相互牵制的僵局

　　朋友也分两种：诚实的朋友和说谎的朋友。

　　问波波："哈瑞在说谎吗？"波波回答说："不，哈瑞没有说谎。"

　　问哈瑞："杰森在说谎吗？"哈瑞回答说："是的，杰森在说谎。"

　　那么，问杰森："波波在说谎吗？"时，杰森会回答什么呢？

不，哈瑞没有说谎。

是的，杰森在说谎。

64
美人鱼的钻戒

人间来了4位天使。她们4个人的手上都戴着1枚以上的钻戒，4人的钻戒总数是10枚。她们4个人说的话刚好被魔鬼听见了。其中，有2枚钻戒的人的话是假话，其他人的话是真话。另外，有2枚钻戒的人可能存在两人以上。

丽丽："艾艾和拉拉的钻戒总数为5。"

艾艾："拉拉和米米的钻戒总数为5。"

拉拉："米米和丽丽的钻戒总数为5。"

米米："丽丽和艾艾的钻戒总数为4。"

请问：她们每个人的手上各戴有多少枚钻戒?

65

谁和谁是一家

有4个男孩(童童、壮壮、可可、丁丁)，分别是两对兄弟：童童和壮壮是兄弟，可可和丁丁是兄弟。他们4个人说了如下的话，如果是兄弟的话都是真实的，如果不是兄弟的话都是假的。

跑步的男孩说："拿着长笛的男孩是可可。"

拿着长笛的男孩说："溜冰的男孩是丁丁。"

溜冰的男孩说："拿着书的男孩是童童。"

拿着书的男孩说："拿长笛的男孩不是丁丁。"

根据以上对话，说出这几个男孩分别是谁，谁和谁是一家的？

66
好学的当当

当当在某月的前半个月(1日到15日)学了五种运动。每学一种运动的天数各不相同，而且，同一天里也没有学两种运动。那么，究竟他每天在学什么运动呢？

①当当4日的时候学了打网球，8日的时候在学滑雪，12日学射箭。

②第三项运动只进行了1天时间。

③第四项运动是踢足球。

④用3天学的运动项目不是踢足球也不是打保龄球。

运动项目：网球、滑雪、射箭、踢足球、打保龄球。

天数：只有1天、连续两天、连续3天、连续4天、连续5天。你能列出每项运动的开始日期和结束日期吗？

注意：存在只有1天的项目。

67

罪犯

有一位银行行长被谋杀了。

警方经过一番努力搜查,将大麻子、小矮子和二流子三个嫌犯带回问讯,他们的供词如下:

大麻子:"小矮子没有杀人。"

小矮子:"他说的是真的!"

二流子:"大麻子在说谎!"

结果是,三人中有人说谎,不过真正的犯人说的倒是实话。

请问,哪一个是杀人犯?

68
鸵鸟蛋

甲、乙、丙、丁4个人暑假里到4个不同的岛屿去旅行，每个人都在岛上发现了鸵鸟蛋(1个到3个)。4人的年龄各不相同，从18岁到21岁。

目前只知道下列情况：

①丙是18岁。

②乙去了A岛。

③21岁的男孩发现的蛋的数量比去A岛男孩的少1个。

④19岁的男孩发现的蛋的数量比去B岛男孩的少1个。

⑤甲发现的蛋和去C岛的男孩发现的蛋之中，有一处是2个。

⑥去D岛的男孩发现的蛋比丁发现的蛋要少2个。

请问，他们分别是多少岁？分别在哪个岛上发现了多少个鸵鸟蛋？

69
小魔女们的小狗

小林子、小欢子、小安子、小丹子 4 个小魔女每人都养了小狗，但数量各不相同，并且她们眼睛的颜色和她们中意的魔女服装的颜色都各不相同。

小狗的数量有：1 只、2 只、3 只、4 只。

眼睛颜色分别是：灰色、绿色、蓝色、红色。

服装颜色分别是：黑色、红色、紫色、茶色。

请根据如下条件判断她们每个人眼睛的颜色、魔女服装的颜色、饲养小狗的数量。

①灰色眼睛的魔女和黑色服装的魔女和小欢子3人共有 8 只小狗。

②绿色眼睛的魔女和红色服装的魔女和小安子3人共有 9 只小狗。

③红色眼睛的魔女和茶色服装的魔女和小丹子3人共有 7 只小狗。

④紫色服装的魔女的眼睛不是灰色的。

⑤小安子的眼睛不是蓝色的。

⑥小欢子的眼睛是红色的。

70
4对亲兄弟

　　有一个楼里住着四户人家，每家各有两个男孩。这四对亲兄弟中，哥哥分别是甲、乙、丙、丁，弟弟分别是A、B、C、D。一次，有个人问："你们究竟谁和谁是亲兄弟呀？"乙说："丙的弟弟是D。"丙说："丁的弟弟不是C。"甲说："乙的弟弟不是A。"丁说："他们三个人中，只有D的哥哥说了实话。"丁的话是可信的，那人想了好半天也没有把他们区分出来。你能区分出来吗？

71
紧急集合

　　凌晨两点半外面响起一阵响亮的集合哨声，还在睡梦中的201宿舍的4个女学生（李佳、刘方、房华、何林）慌乱地爬起来，结果都穿错了衣服：只有一个人穿对了自己该穿的上衣，还有一个人穿对了自己该穿的下装，而且，没有人把上装和下装全部穿对了。

　　根据以下条件，回答4个人分别是穿了谁的上装和下装呢？

　　① 刘方只穿了一个人的下装，这个人又穿了李佳的上装。

　　② 房华只穿了一个人的下装，这个人又穿了刘方的上装。

72

乌龟赛跑

有甲、乙、丙、丁 4 只乌龟,他们在本周进行了惯常赛跑。上一次比赛没有出现两只乌龟"并列第一"的情况,这次也一样。而且,上回的第一名不是丙乌龟。

4 只乌龟所言如下,在上次比赛中名次下降的乌龟撒谎了,名次没有下降的乌龟说了实话。

不巧的是他们的对话被兔子听到了。根据兔子的叙述,推测一下 4 只乌龟在上次和这次比赛中分别是第几名。

甲:"乙上次是第二名。"

乙:"丙这次是第二名。"

丙:"丁这次比上次位置上升了。"

丁:"甲这次名次上升了。"

73

门铃按钮

某户人家的门铃声整天不断，令其苦不堪言。于是，他请一位朋友想办法解围。

这位朋友帮他在大门前设计了一排6个按钮，其中只有一个是通门铃的。来访者只要摁错了一个按钮，哪怕是和正确的同时摁，整个电铃系统将立即停止工作。

在大门的按钮旁边，贴有一张告示，上面写着："A在B的左边；B是C右边的第三个；C在D的右边；D紧靠着E；E和A中间隔一个按钮。请摁上面没有提到的那个按钮。"

这6个按钮中，通门铃的按钮处于什么位置？

德拉家和卡卡家的狗狗们

德拉家和卡卡家共有 4 条狗(名字分别是多多、依依、咪咪、汪汪),主人喜欢把它们打扮得漂漂亮亮的。一天, 它们说了如下的话, 在这些话中, 如果是关于自己家的话就是真实的, 如果是关于别人家的就是假的。

请问, 这 4 条狗狗分别是谁家的?

穿棕衣服的狗狗:"穿黄衣服的是多多, 穿白衣服的是依依。"

穿黄衣服的狗狗:"穿白衣服的狗狗是咪咪, 穿灰衣服的狗狗是汪汪。"

穿白衣服的狗狗:"穿灰色衣服的狗狗是多多。"

穿灰衣服的狗狗:"穿棕衣服的狗狗是多多, 穿白衣服的狗狗是卡卡家的狗狗。"

75
谁是冠军

去年夏天，兄弟 3 人分别参加了三项体育竞赛，即体操、撑杆跳和马拉松。

已知的情况是：老大没去参加马拉松比赛；老三没有参加体操比赛项目；在体操比赛中获得全能冠军称号的那个孩子，没有撑杆跳；马拉松冠军并非老三。

你能判断出谁是体操全能冠军吗？

76
太平洋里的鲸鱼

在太平洋里住着有 5 条鲸鱼。一天，它们在海面冲浪后聚到一起聊天。这 5 条鲸鱼分别居住在不同的海洋深度 (800 米、900 米、1000 米、1100 米、1200 米)，关于居住深度比自己浅的鱼的叙述都是真的，关于比自己深的鱼的叙述就是假的，而且，只有一条鲸鱼说了真话。它们的对话如下：

甲："乙住在 900 米或者 1100 米的地方。"

乙："丙住在 800 米或者 1000 米的地方。"

丙："丁住在 1100 米或者 1200 米的地方。"

丁："戊是在 1100 米或者 1200 米的地方。"

戊："甲住在 800 米或者 1000 米的地方。"

那么，究竟每条鲸鱼分别住在哪个深度？

77

雪地上的脚印

在一个积雪厚达30厘米的严冬的早晨，罪犯在自己家中杀人后，穿过一片空地，将尸体扛到邻居一所正在建造中的空房内，转移了杀人现场。然后他顺原路返回家中，拨通了报警电话，装作若无其事的样子说发现有人被害了。

警探赶到后，查看了那个人往返现场时留在雪地上的脚印，便厉声呵斥说："你在说谎，凶手就是你！"

你知道警探是怎么判断的吗？

78

情报电话

福特在金冠大酒店被歹徒挟持，歹徒逼迫他当着他们的面给家里报平安。福特的电话内容是这样的：

"亲爱的罗莎，您好吗？我是福特，昨晚不舒服，不能陪您去夜总会，现在好多了，多亏金冠大酒店经理上月送的特效药。亲爱的，不要和我这样的'坏人'生气，我们会永远在一起的，请您原谅我的失约，我的病不是很快就好了吗？今晚赶来您家时再向您道歉，可别生我的气呀!好吧，再见！"

可是5分钟后，警察突然出现在他们面前，歹徒不得不举手投降。你知道福特是怎么报案的吗？

79
4个兄弟一半说真话

劳斯生有4个儿子，3个哥哥都生性顽劣，只有最小的弟弟善良淳朴。不过二哥也还算善良，也会说真话。

下面是他们关于年龄的对话。

劳拉："劳莎比劳特年龄小。"

劳莎："我比劳拉小。"

劳特："劳莎不是三哥。"

劳茵："我是长兄。"

你能判断他们的的年龄顺序吗？

80
猜拳

　　丁丁经常喜欢和他的两个同胞兄弟用猜拳来决定谁做家务，可老是平手，分不出胜负。于是，丁丁就想：如果一次只有两个人的话，就不会出现这么多次平手了。

　　你认为丁丁的想法正确吗？

81
生日派对

在一个生日派对上，准备了三顶蓝帽子和两顶红帽子。在前面扮演小丑的大毛、二毛、三毛排成一列站着。大毛后面站着二毛，二毛后面站着三毛。

他们三人头上各戴上一顶帽子，剩下的帽子被藏了起来。他们可以看到前面的人帽子的颜色，但看不到自己的。

"三毛，你的帽子是什么颜色？"

"不知道。"

"二毛呢？"

"我也不知道。"

这时候，谁的帽子都看不到的大毛却说："啊!我知道了。"

请问：大毛的帽子是什么颜色？

5秒钟难题

一天上午，杰克和约翰去看望住在郊区别墅的金姆森太太。平常他们要进去都要按门铃，今天的门却是虚掩着的。杰克和约翰推开门进去，在一楼餐厅里发现了金姆森太太的尸体，看上去，她已经遇害十多天了。

她是在用餐的时候遭到突然袭击的，一柄尖刀贯穿胸口，瞬间夺去了她的生命。凶手随后洗劫了整幢别墅。

杰克和约翰伤感地坐在别墅前面的台阶上，送来的报纸堆满了整级台阶，而订阅它的人永远不会再读报了。别墅的台阶下，还放着两瓶早已过期的牛奶，也是金姆森太太定的。聪明的杰克看到以后，花了5秒的时间就知道了凶手是谁。你知道吗？

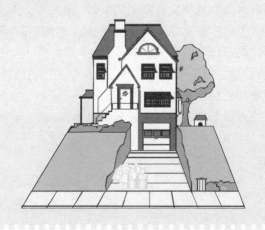

83
问什么问题

古代，有Ａ、Ｂ两个相邻的国家，Ａ国居民都是诚实的人，Ｂ国居民都是骗子。当你问一个问题时，Ａ国居民会告诉你正确的答案，而Ｂ国居民给你的答案都是错误的。一天，一个智者独自登上了两国中的某个国家。他分辨不清这个国家是Ａ国还是Ｂ国，只知道这个国家的

人既有本国的居民又有别国的来客。他想问这里的人"这是Ａ国还是Ｂ国"，却又无法判断被问者的答案是否正确。智者动脑筋想了一会儿，终于想出一个办法，他只需要问他所遇到的任意一个人一句话，就能从对方的回答中准确无误地断定这里是哪个国家。

你知道智者所问的是什么问题吗？

84
说谎者

甲、乙、丙、丁、戊5个人当中，有2个人是从来不说谎的老实人，但是另外3个人是总说谎的骗子。

下面是他们所说的话：

甲："乙是骗子。"

乙："丙是骗子。"

丙："戊是骗子。"

丁："甲和乙都是骗子。"

戊："甲和丁都是老实人。"

根据以上的对话，请找出老实人是哪两位？

85

外星来客

　　有一天，在广阔的西伯利亚地面上降落了一艘子弹头式的宇宙飞船，随后从里面下来5个穿着奇异服装的稀客，有两个人是火星人，其余的是水星人。

　　面对新闻媒体的热烈采访，5人的发言如下。其中的4个人说了真话，有一人撒谎。

　　阿波罗说："泰勒和比尔两者之中只有一个是火星人。"

　　泰勒说："比尔和费卢之中有一个是水星人。"

　　比尔说："帕萨斯和费卢之中有一个人是水星人。费卢和阿波罗来自不同星球。"

　　费卢说："比尔和莱布之间至少有一个人是火星人。"

　　莱布说："阿波罗和泰勒之中有一个人是火星人。"

　　请问：他们之中哪几个是火星人，哪几个是水星？

86
两个乒乓球

　　小雪一直吵着要明明陪她一起打乒乓球。明明被吵得实在受不了，于是想了一个妙计："小雪，这袋子里放了两个乒乓球，一个黄色的，另一个是白色的。现在，要你伸手进去拿乒乓球。如果你拿到黄色的，我陪你玩，但如果拿到白色的，就要放弃了，而且不能再吵我！"

　　小雪的眼睛顿时亮了起来，但此时却瞥见转过身的明明放了两个白色乒乓球进去。

　　那么，不论她拿到哪一个都会是白色的。

　　请问，小雪是不是玩不成乒乓球了？

87
篮球比赛

某县的五所中学进行篮球
比赛，每所中学互赛一场进行
循环赛。比赛的结果如下：

一中：2 胜 2 败
二中：0 胜 4 败
三中：1 胜 3 败
四中：4 胜 0 败
请问：五中的成绩如何？

88
骗子村的老实人

刚搬来骗子村的老实人显然
还不太习惯骗子村的生活方式。
因此，他只有在星期一说谎，其
他的日子说的都是真话。

请问：老实人只有在星期二
才能说的话是什么呢？

89
教授的课程

张教授、赵教授、彭教授三人每人分别担任生物、物理、英语、体育、历史和数学六科中两门课程的教学工作。现在，我们知道以下信息：

① 物理教师和体育教师是邻居；

② 张教授在三人中年龄最小；

③ 彭教授、生物教师和体育教师三个人经常一起从学校回家；

④ 生物教师比数学教师年龄要大些；

⑤ 假日里，英语教师、数学教师与张教授喜欢打排球。

你知道三位教授各担任哪两门课程的教学工作吗？

90
谁在谁的左边

左边和右边是一个很简单的问题，可往往有人会把它们弄混。请试试下面这个问题：

林林的左边是佳佳，佳佳的左边是花子，花子的左边是沙沙。

请问：沙沙永远都在林林的左边吗？

林林　　　　佳佳　　　　花子　　　　沙沙

91

蜜蜂、蝴蝶和蜻蜓

蜜蜂、蝴蝶、蜻蜓如图A所示正排队参加昆虫聚会。忽然，队长让它们变成了如图B的排列。如果：

①相邻的叶子是空的，就可以飞过去。

②隔一个叶子相邻的叶子是空的，也可以飞过去。

③不可以两只同时停在一片叶子上。

请问：它们一共要飞几次才能完成图B的顺序呢？

92

谁姓什么

大明、二明、三明、四明的姓各自是"张"、"王"、"李"和"赵"。

①大明的姓是"王"或"李"的其中一个。

②二明的姓是"张"或"王"的其中一个。

③三明的姓是"张"或"李"的其中一个。

④姓"王"的人，是大明或四明的其中一个。

猜猜看这4个人的姓名。当然，4个人的姓都不一样。

93
血缘关系

一天，汤姆叔叔和他妹妹尼萨一起在街上散步，突然汤姆叔叔想起来："对了，小外甥在前面那家店打工，我去看看他，顺便买点东西。"

"噢，我可没有外甥。"说完，尼萨就先回家了。

请问：尼萨和那位神秘的外甥是什么关系呢？

94

谁大谁小

小强与小田是两兄弟，有天被一个路人问到谁的年龄比较大。

小强说："我的年龄比较大。"

小田说："我的年龄比较小。"

他们两个也不是双胞胎，而且他们之中至少有一个人在说谎。

请问：谁的年龄比较大？

95
小猫的名字叫什么

在下面的宠物照片中，有6只小猫的照片，它们看起来很相似，但名字是不一样的。

①叫做"咪咪"的是在上面一排里。

②叫做"花花"和"球球"的在同一排里。

③叫做"花花"的(不是D)在"咪咪"的左边。

④"球球"的右端是"C或F"，"黑黑"在中央位置(B或E)。

⑤叫做"忽忽"的在"兰兰"的右侧。

请问：这6只小猫的名字分别叫什么？

96
4个小画家

　　方方、莉莉、美美、洋洋4个人非常想做画家，她们每个人临摹了一幅名画（分别是"蒙娜丽莎"和"最后的晚餐"）。临摹完成后，她们分别将自己手中的画交给其中一个人，又从别人手里得到画，这样多次循环，每个人一幅画，又拿到自己画的有一个人。

　　现在只知道洋洋画的是"最后的晚餐"；方方拿着的是"蒙娜丽莎"；拿着方方的画的人，既不是方方也不是洋洋；方方和莉莉临摹了同一幅画；美美和洋洋拿着同一幅临摹的画。

　　请问：她们各自临摹了哪幅画，交换后拿着的又是哪幅画呢？

97

玩具世界

多多最喜欢买玩具，她的玩具都成了一个玩具世界。

在她的玩具中：扔掉两只之后都是狗；扔掉两只之后都是熊猫；扔掉两只之后都是洋娃娃。

请问：多多都有一些什么玩具？

98
财政预算方案

　　某国三位政府官员张先生、王先生、李先生要在年终总结大会上表决如何分配总额4亿元的财政预算。

　　这个预算方案一共有甲、乙、丙三个提案(如下表所示),分别决定了各位官员可以获得的预算。投票规则是:首先对甲、乙两案进行表决,胜出的方案再与丙案进行表决。

　　那么,请问张先生应该如何投票才能确保自己的收益最大呢?

政府官员	甲案	乙案	丙案
张先生	2亿	1亿	0亿
王先生	1亿	0亿	2亿
李先生	1亿	3亿	2亿

99

花样扑克

有一个人经常玩扑克牌，而且是变着花样地玩。一天，他摆出做了标记的3张扑克(如图)，扑克正反两面分别画上√或×。他说他可以把这3张扑克给任何人，在不让他看到的情况下选出一张，放在桌上，朝上的是正面或反面都没有关系。只要他看了朝上那面后，会猜出朝下的是什么标记。猜对了，就请对方给他100元；猜错了，他就给对方200元。扑克上√和×占总数各半，也没有其他任何记号。

你觉得他有胜算吗？

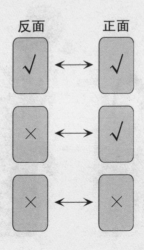

反面	正面
√ ←→	√
× ←→	√
× ←→	×

100
坚强的儿子

　　从前，当古罗马城陷入纷乱的时候，有位母亲对想趁着乱世称雄的儿子这么说："如果你正直的话，就会被大众所背叛；但如果你不正直，就会被神遗弃。反正都没有好下场，你就别强出头了。"

　　这位坚强的儿子不但不放弃，还利用这番话中的盲点说服了他母亲。

　　你知道他是如何反驳的吗？

101
富足的法国人

有一个富足的法国人，8 年前在香榭大道上接近戴高乐广场的地段开了一间餐厅，生意一直很红火。担任主厨的安德里的厨艺越来越好。他最拿手的是鸡肉料理，春鸡和鹅肝是绝妙的搭配。餐厅里一共有128个位子，每到周末几乎都客满。

最近还跟年轻歌手蜜雪儿签了约，经常在餐厅现场演唱，使得老板的银行帐户位数逐渐增加。

请问：餐厅的老板多少岁？

102
恐怖游戏

这是一个恐怖游戏。

在这个游戏中用的是真枪实弹。对决双方转轮决斗，首先在可以放6颗子弹的左轮手枪弹匣中，放进一颗子弹，放在哪个位置则不得而知，然后两个人开始轮流朝自己的头开枪。6次射击的其中一次，实弹会被发射出来，而玩家就性命不保了。

请问：在这个游戏中是先开枪的人有利，还是后开枪的人有利？

103
什么店

步行街两旁并排开了 6 家店，分别是 A、B、C、D、E、F。目前只知道这些情况：

①A 店的右边是书店。

②书店的对面是花店。

③花店的隔壁是面包店。

④D 店的对面是 E 店。

⑤E 店的隔壁是酒吧。

⑥E 店跟书店在道路的同一边。

请问：A 店是什么的店呢？

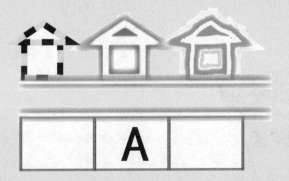

104
称糖

用一个只能称 100 克以上物品重量的天平，称 3 个重量都比 50 克大一点但都达不到 100 克的糖。请问：你用什么办法能准确地称出它们的重量？

105
谁是小偷

雷米警长正在盘问一宗盗窃案的 5 个嫌疑犯，他们当中只有 3 个人说的是真话。根据他们的说辞，你能猜出谁是小偷吗？

A：D 是小偷。

B：我是无辜的。

C：E 不是小偷。

D：A 说的全是谎话。

E：B 说的全是真话。

106
仙女和仙桃

4个仙女手中拿着仙桃，每个人的数量不同，4个到7个之间。然后，4个人都吃掉了1个或2个仙桃，结果剩下的每个人拥有的仙桃数量还是各不相同。

4人吃过仙桃后，说了如下的话。其中，吃了2个仙桃的人撒谎了，吃了1个仙桃的人说了实话。

西西："我吃过红色的仙桃。"

安安："西西现在手里有4个仙桃。"

米米："我和拉拉一共吃了3个仙桃。"

拉拉："安安吃了2个仙桃。""米米现在拿着的仙桃数量不是3个。"

请问最初每人有几个仙桃，吃了几个，剩下了几个呢？

107

白纸遗嘱

　　作曲家简和音乐家库尔是一对盲友。简病危时曾请库尔来做公证人立下一份遗嘱：把简一生积蓄里的一半财产捐给残疾人福利机构。随即让他的妻子拿来笔和纸，以及个人签章。他在床头摸索着写好遗嘱，装进信封里亲手密封好，郑重地交给库尔。库尔接过遗嘱，立即专程送到银行保险箱里保存起来。一星期后，简死于癌症。在简的葬礼上，库尔拿出这份遗嘱交给残疾人福利机构的代表手中。但当代表从信封中拿出遗嘱时，发现里面竟然是一张白纸。

　　库尔根本无法相信，简亲手密封、自己亲手接过并且由银行保管的遗嘱会变成一张白纸！这时来参加葬礼的尼克探长却坚持认定遗嘱有效。众人都疑惑不解地看着尼克探长期待着他的解释。你认为探长会怎么解释？

108
糊涂的答案

一位驼背老年人和一位瘸腿的年轻人路过一个陌生的村庄。对面走来一位中年人。好奇的中年人问年轻人："那位驼背的老年人是不是你父亲？"年轻人肯定地回答："是的。"中年人又到前面去问老年人："后面那位瘸腿的是不是你儿子？"老年人否定地回答："不是。"中年人有点被弄糊涂了，又一次问年轻人："那位驼背的老年人是不是你的亲生父亲？"年轻人仍然肯定地回答："是的。"中年人又一次到前面去问老年人："那位瘸腿的年轻人是不是你的亲生儿子？"老年人同样否定地回答："不是。"

但事实上老年人和年轻人说的都是真话。想一想老年人和年轻人到底是什么关系？

109
会说话的指示牌

　　篮球场、健身房和足球场是从教室通往宿舍的三个路过地点。一天，新生琪琪来到篮球场，看到一个指示牌，上面写着："到健身房400米/到足球场700米"。她很受鼓舞继续往前走。但当她走到健身房时，发现这里的指示牌上写着："到篮球场200米/到足球场300米"。聪明的她知道肯定哪里出了问题，因为两个指示牌有矛盾的地方。她继续朝前走，不久到达足球场，这里的路标上写着："到健身房400米/到篮球场700米"。琪琪感到困惑不解，她顺便询问一个过路的老师。老师告诉他，沿途的这三个指示牌，其中一个写的都是假话，另一个写的都是真话，剩下的那一个写的一半是假话，一半是真话。

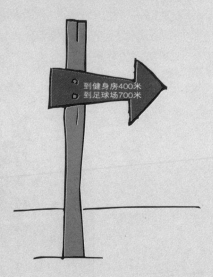

　　你能指出哪块指示牌写的都是真话，哪块路标写的都是假话，哪块路标写的一半是真话，一半是假话吗？

110
来自哪里

5 位外国游客分别来自罗马、新德里、费城、华盛顿和巴西利亚。请根据下面的谈话分别确认他们各来自哪里？

甲：我曾到过北美洲，但还没有去过南美洲。下个月，我准备去罗马旅游。

乙：去年我曾在费城旅游过，下个月我也要去罗马旅游。

丙：我去年到过费城，它是我去美国的第一站。

丁：我从没有去过费城。我第一次出国旅游。下个月，我要去欧洲或者南美洲。

戊：⋯⋯

111
杀人浴缸

一天，尼克探长要去看望住在海边豪宅的好友布莱克。路上，他给布莱克打了电话，告诉他大约半个小时后到。

半小时后，尼克准时到达，可在客厅里等了 5 分钟，还不见布莱克出现。这时仆人特里说："老爷进去洗澡已经半个多小时了，会不会……"尼克探长撞开浴室门，发现布莱克死在浴缸里。从初步检查的结果来看，他是溺水死的，死亡时间大概在半小时前。

警察赶到后做了进一步分析，发现布莱克的肺部有大量海水，而没有淡水残留。同时，整个下午只有仆人特里一个人在家，没有其他人来过。

尼克第一个反应就抓住特里，说他是凶手。特里拼命地否认他没有作案时间：尼克探长打电话来的时候主人还在接电话，从那时到现在只有 30 多分钟，可是从这里到海边却要一个小时！我就是坐飞机也来不及。但尼克却一口咬定是特里干的。你认为尼克的理由是什么呢？

112
复式别墅

有3户人家合租了一个复式别墅。这3户人家都是三口之家：丈夫、妻子和孩子。他们的名字已在下表中列出来了：

丈夫	老张、老王、老李
妻子	丁香、李平、杜丽
孩子	美美（女）、丹丹（女）、壮壮（男）

现在只知道老张和李平家的孩子都参加了学校的女子篮球队训练；老王的女儿不叫丹丹；老李和杜丽不是一家。你能根据上面的条件说出这每家分别是哪3个人吗？

113
康乃馨

母亲节快到了，佳佳去花店买了5束康乃馨送给5位母亲。每束花有8朵，有黄的、粉红的、白的和红的，每种颜色都是10朵。为了让5束花看起来各有特点，每一束花中不同颜色花朵的数量不全相同，不过每束花中每种颜色的花至少应该有一朵。

下面是5位母亲所收到的花的情况：

张妈妈：黄色的花比其余3种颜色的花加起来还要多；

王妈妈：粉色的花要比其他任何一种颜色的花都少；

李妈妈：黄色和白色的花之和等于粉色和红色的花之和；

赵妈妈：白色花是红色花的两倍；

董妈妈：红色花和粉色的花一样多。

请问：5位母亲各自所收到的花的每种颜色各有几朵？

114
动物园里的动物们

一日，可可独自一人到动物园里去观赏动物。他一共只看了猴子、熊猫和狮子三种动物。这三种动物的总数量在 26 只到 32 只之间。

根据下面的情况，说说这三种动物各有多少只？

① 猴子和狮子的总数量要比熊猫的数量多。

② 熊猫和狮子的总数量要比猴子的总数的两倍还要多。

③ 猴子和熊猫的总数量要比狮子的三倍还多。

④ 熊猫的数量没有狮子数量的两倍那么多。

115
生日礼物

小新快过生日了，妈妈给她准备了一个生日礼物——一条漂亮的裙子。为了考验一下小新，妈妈将礼物放在下面的两个盒子当中的一个，两个盒子上面分别系有一张纸条。小新一看，就知道礼物在哪个盒子里，你知道吗？

116

3只八哥

罗伯特、丽萨、艾米是3只八哥，它们分别来自3个国家。其中来自A国的八哥一直说真话，来自B国的八哥一直说假话，来自C国的八哥特别有意思，它总是先说真话再说假话。

对于这3只难以对付的八哥，饲养员偷偷地录下了他们的对话，请你根据它们的对话分别说出这3只八哥分别来自哪个国家？

罗伯特说："艾米来自C国，我来自A国。"

丽萨说："罗伯特来自B国。"

艾米说："丽萨来自B国。"

117

失误的程序员

高先生是一个高级程序员，但是他最近设计的三款机器人却出了一点问题：有一个永远都说实话，有一个永远说谎话，另一个则有时说实话，有时说谎话。高先生不知道怎么分辨它们，就请高博士为他帮忙。

高博士一看，随口问了3个问题就知道怎么分辨了。他的问题是：

问左边的机器人："谁坐在你旁边？"机器人回答："诚实的家伙。"

问中间的机器人："你是谁？"机器人回答："总是犹豫不决的那位。"

问右边的机器人："坐在你旁边的是谁？"机器人回答："说谎话的家伙。"

根据上面3个问题及其回答，推测它们的身份。

118
陌生的邻居

在一个菱形的小区的中央住着4户人家，他们的草坪分别在菱形小区的4个角落（如下图），但他们都不原意和邻居打招呼，想独自不穿过别人家的区域就能到自己家的草坪去。

假如你是这个小区的物业管理员，你该如何让这4条路都不彼此相交就能到达他们自家的草坪？

119
年龄的秘密

A、B、C 三人的年龄一直是一个秘密。将 A 的年龄数字的位置对调一下，就是 B 的年龄；C 的年龄的两倍是 A 与 B 两个年龄的差数；而 B 的年龄是 C 的 10 倍。

请问：A、B、C 三人的年龄各是多少？

120
沙滩上的尸体

在海边沙滩上，发生了一桩离奇的命案，死者是黑社会某帮老大。本来，像死者这样的人应该有保镖跟随，但在案发当日，死者却想独自享受日光浴，因此把保镖支开，想不到就出事了。

当莫斯探长赶到现场侦察时，发现死者是在沙滩上被人用太阳伞尖刺毙的，沙滩上除了保镖的足迹和那些东倒西歪的桌椅外，再也找不到第二个人的足迹(包括被害者的在内)。据调查保镖是不可能杀害老大的，那凶手是怎样逃走的呢？

探长沉思了一会儿后说："我知道谁是凶手了。"

你知道凶手是谁吗？

121

天平不平

　　这里有一个天平和13块重量相同的金条。现在在左边离轴心3格的那个秤盘里放了8块金条，在右边离轴心4格的秤盘里放了4块金条，天平不平。已知每个秤盘和金条的重量相同，请你移动1块金条，使天平恢复平衡。想想该怎么移动？

122

胡萝卜在哪里

在一个表格里有几只兔子，每只兔子都有一棵专属于自己的胡萝卜，这棵胡萝卜有可能紧邻在兔子的四周，但不可能出现在兔子的对角线相邻位置。同时，两棵胡萝卜也不能相邻，也就是说，它们彼此之间不能"接触"。位于每行和每列的胡萝卜数目已经标示在表格旁了，到底兔子们的食物在哪里？

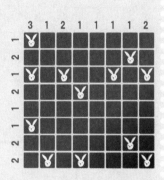

123

币值的大小

有 A、B、C、D、E 5 种币值，其价值的大小不同。目前已知：

A 是 B 的两倍价值；

B 是 C 的四倍价值；

C 是 D 的一半价值；

D 是 E 的一半价值。

请问：这 5 种币值的价值顺序由小到大是怎么排列的？

124
棋盘上的棋子

下图是一个棋盘，棋盘上放有6颗棋子，请你再在棋盘上放8颗棋子，使得：

① 每条横线上和直线上都有3颗棋子。

② 9个小方格的边上都有3颗棋子。

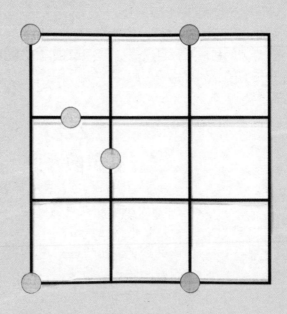

125

玛瑙戒指

有 4 个可爱的女子，其中有 1 人是有妖性的女子，她常常撒谎，其他 3 人是单纯的女子，从不撒谎。她们每个人都戴着一个戒指，其中的一个戒指是玛瑙戒指，戴着它的人，无论是单纯的女子还是有妖性的女子，都会说谎。而且，她们互相都知道谁是有妖性的女子，谁是戴着玛瑙戒指的女子。

根据以下对话，推断到底谁是有妖性的女子？谁戴着玛瑙戒指呢？

拉拉说："我的戒指不是玛瑙戒指。"

奇奇说："天天是妖性女子。"

天天说："戴着玛瑙戒指的是兜兜。"

兜兜说："天天不是有妖性的女子。"

126

猜谜

5个魔球里分别装有红、绿、黄、黑、蓝5种颜色的钻石。博士让A、B、C、D、E 5个人任猜魔球里钻石的颜色，猜中了就把里面的钻石奖给他。

A说：第二个魔球是蓝色，第三个魔球是黑色。

B说：第二个魔球是绿色，第四个魔球是红色。

C说：第一个魔球是红色，第五个魔球是黄色。

D说：第三个魔球是绿色，第四个魔球是黄色。

E说：第二个魔球是黑色，第五个魔球是蓝色。

答案揭晓后，5个人都猜对了一个，且每人猜对的颜色都不同。

请问：每个魔球里分别装了什么颜色的钻石？

期末考试的成绩

在一次期末考试中，婷婷、亮亮、佳佳、小美分别获得了前四名。成绩公布前，她们曾经做了一次自我估计：

婷婷说："我不可能得到第四名。"

亮亮说："我能得到第二名。"

佳佳说："我比婷婷高一个名次。"

小美说："我比佳佳高两个名次。"

成绩公布之后，她们之中只有一个人估计错了。

请问：她们各自得了第几名？

128
字母逻辑

依照下图的逻辑，说说 Z 应该是黑色还是白色？

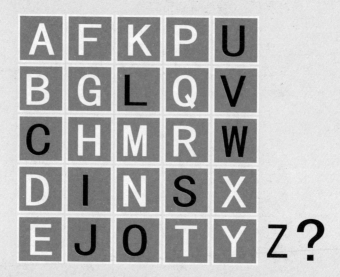

129

什么关系

一个特别喜欢炫耀的人，每次向别人介绍自己办公室的同事情况时，常这样说道："我和王先生、张先生、李小姐三人之间是直接的上下级关系；王先生和赵小姐之间有工作联系；张先生和董先生之间是直接的上下级关系；李小姐和杜小姐有工作联系；赵小姐和董先生工作联系多；董先生和杜小姐工作联系也多。我常常给王先生、李小姐安排工作任务，董先生给赵小姐安排工作任务；张先生给董先生安排工作任务；董先生给杜小姐安排工作任务。我就从张先生那里接受工作任务。"

根据这番啰嗦的话推断出他们之间的分别是什么关系。

130
皇妃与侍女

一个皇帝有20个皇妃，每位皇妃身边都有一个坏侍女。虽然每一个皇妃都知道其他皇妃的侍女是坏人，但由于她们之间关系不融洽，因此她们都不知道自己的侍女是否是坏人。

皇上知道此事后，把20个皇妃召集在一起，告诉她们，在跟随她们的侍女中至少有一个坏人，并要求她们如果知道了自己的侍女是坏人就必须立刻杀了她；如果知道了又不杀的话，那自己的脑袋就保不住了。期限为20天。

为此，皇上办了一份早报，如果哪位侍女被杀了就会刊登在早报上，可19天都平静地过去了，在第20天早晨，仍然没有哪一位皇妃杀自己侍女的消息。请问，接下去的情况将会怎么样呢？

131
死囚

　　一位法官判处一个人为死罪，这个人听到消息后非常恐惧。法官下令：从明天开始，到第七天傍晚，必须把这个死囚拖到刑场绞死。但如果在处决他的那一天早晨死囚知道了自己要被处以绞刑，那么这一天就不能处死他。死囚听到这个规定后非常地高兴，认为自己不可能被处死了。你觉得可能吗？

132

破解僵局

魔鬼说出口的都是假话，而人有时说假话，有时说真话，天使则总是说真话。

现在甲说："我不是天使。"乙说："我不是人。"而丙则说："我不是魔鬼。"你能判断出他们的身份吗?

133
卡洛尔的难题

英国剑桥大学数学讲师卡洛尔曾出了下面这道题目来测验他的学生的逻辑思维能力。题目是这样：

① 教室里标有日期的信都是用粉色纸写的。

② 丽萨写的信都是以"亲爱的"开头的。

③ 除了约翰外没有人用黑墨水写信。

④ 皮特没有收藏他可以看到的信。

⑤ 只有一页信纸的信中，都标明了日期。

⑥ 未作标记的信都是用黑墨水写的。

⑦ 用粉色纸写的信都收藏起来了。

⑧ 一页以上的信纸的信中，没有一封是做标记的。

⑨ 约翰没有写一封以"亲爱的"开头的信。

根据以上信息，判断皮特是否可以看到丽萨写的信。

134
谁是司机

A、B、C 三人在车上担任乘务员、售票员和司机（不一定按此顺序排列）。有一天，车上只有三位乘客，他们分别来自三个不同的城市。很凑巧，这三位乘客的姓也是A、B、C，暂且称他们为A先生、B先生和C先生。

另外还知道：

①C先生住在底特律市。

②乘务员住在芝加哥和底特律之间。

③住在芝加哥的乘客和乘务员同姓。

④乘务员的一位邻居也是一位乘客，他挣的工资正好是乘务员工资的三倍。

⑤B先生一年只挣2000元，他的生活要靠朋友救济。

⑥A的台球打得比售票员好。

根据以上信息，请回答：谁是司机？

135
谁买了什么

A、B、C 和 D 四个朋友到某商厦购物。他们分别买了一块表、一本书、一双鞋和一架照相机。这四样商品分别在一至四层购买，当然，上述四样商品的排列顺序不一定就是它们所在楼层的排列顺序，也不一定等同于买主被提及的顺序。

如何根据以下线索，确定谁在哪一层购买了哪样商品：

A去了一层；表在四层出售；C在二层购物；B买了一本书；A没有买照相机。

136

韩教授的一周行程

下个星期韩教授的活动安排是：参观科技馆；去税务所；去医院看外科；还要去宾馆午餐。宾馆是在星期三停止营业；税务所是星期六休息；科技馆在周一、三、五开放；外科大夫每逢周二、五、六坐诊。那么韩教授应该在星期几才能一天之内完成所有事情呢？

137

墓碑上的碑文

在一块墓碑上刻着惹人暇思的碑文，它曾吸引了无数人前来推测和祭奠。这块墓碑的碑文如下：

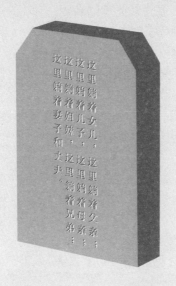

如果包括同母异父或同父异母的关系，埋葬在墓地里的最少有几个人？

138
谁是凶手

　　某宾馆发现一具尸体，医生对死者进行检查后，说:"从最近的距离向心脏打了一发子弹,因此立即死亡。"

　　警察立刻展开对此事的调查，传讯了三位有嫌疑的人。三人分别作了如下的证词:

　　甲:死者不是乙杀的，是自杀的。

　　乙:他不是自杀的，是甲杀的。

　　丙:不是我杀的，是乙杀的。

　　后经查明，每个人的话都只有一半是正确的。

　　根据以上信息，说出谁是凶手。

139
吃西瓜比赛

　　某电视台要举行吃西瓜比赛，邀请了 4 对情侣参加。决赛前一共要进行4项比赛，每项比赛每对情侣都要派出一名成员参加。

　　第一项参赛的人是：吴刚、孙全、赵亮、李利、王林；

　　第二项参赛的人是：郑成、孙全、吴刚、李利、周文；

　　第三项参赛的人是：赵亮、张落、吴刚、钱佳、郑成；

　　第四项参赛的人是：周文、吴刚、孙全、张落、王林。

　　刘某因故没有参加第四项比赛。

　　根据以上信息，说说谁和谁是情侣。

140
今天星期几

一天，同住一个院子里的小朋友们的闹钟同时罢工，所有人都起得很晚。由于大人都出去了，家里又没有日历，他们就围在一起讨论今天星期几？

小红：后天星期三。

小华：不对，今天是星期三。

小江：你们都错了，明天是星期三。

小波：今天既不是星期一也不是星期二，更不是星期三。

小明：我确信昨天是星期四。

小芳：不对，明天是星期四。

小美：不管怎样，昨天不是星期六。

他们之中只有一个人讲对了，是哪一个呢？今天到底是星期几？

141
月亮宫里的姑娘

月亮宫里住着4个姑娘（光光、木木、乔乔、贝贝）。她们之中的一个人变成了魔鬼(假如叫做木木的女子变成了魔鬼，那么如果她说："我不是木木"的话，要看作是实话)。另外，她们之中有一个人经常撒谎(有可能是变成魔鬼的女子)，其他人都不撒谎。但是大家都不知道谁变成了魔鬼。

有一天，她们的对话被吴刚听到。请根据吴刚的记录说说这4个人的名字分别是什么？是谁变成了魔鬼？

头戴黄色头冠的女子说："我不是贝贝，佩戴蓝色的头冠人是木木。"

头戴白色头冠的女子说："我不是贝贝，头戴黑色头冠的人是乔乔。"

头戴蓝色头冠的女子说："我不是木木。"

头戴黑色头冠的女子说："头戴黄色头冠的女子是光光。"

谁看了足球赛

5个朋友中只有一个人上周看了足球赛。5个人的对话如下，他们每个人说的三句话中，有两句是对的，一句是错的。根据他们的对话，思考谁看了足球赛?

A说：我没有看足球赛。我上周没看过任何足球赛。D看了足球赛。

B说：我没看足球赛。我从足球场前走过。我读过一篇足球报道。

C说：我没看足球赛。我读过一篇足球评论。D看了足球赛。

D说：我没看足球赛。E看了足球赛。A说我看了足球赛，那不是真实的。

E说：我没看足球赛。B看了足球赛。我读过一篇足球评论。

143

谁是玛丽的朋友

玛丽气质高雅、乐于助人，是班上9个同学希望交往的对象。而且这9个人之中，有一个人是玛丽真正的朋友。下面是这9人的话，假设其中只有4人说实话，那么究竟谁才是玛丽真正的朋友呢？

A：我想一定是G。B：我想是G。C：我是玛丽真正的朋友。D：C在说谎。E：我想一定是I。F：不是我也不是I。G：F说的是实话。H：C是玛丽真正的朋友。I：我才是玛丽真正的朋友。

144

你要哪一只钟

有两只钟，一只每天只准一次，另一只一天慢一分，你要哪一只?

145

赴宴会

有三对新婚夫妇住在同一个院子里。这天他们都收到了请帖要到西城区去赴宴会,但门外只停着一辆能容纳两人坐的小汽车,而且没有司机。每个丈夫都嫉妒成性,随时都要保护着他美丽的新娘,不让自己的新娘和别的男子在一起。

请问:这三对夫妇该如何赴宴会?最少要往返多少次?

146
礼服和围巾的问题

下面有 3 个礼盒，盒子上都有标签，但是这些标签和内容都完全不符合。请问：你应在哪几个盒子里至少检查多少物品，才能确定哪只盒子里有什么物品？

3件晚礼服　　　3条围巾　　　2件晚礼服
　　　　　　　　　　　　　　1条围巾

147
预测机

人工智能专家发明了一个预测机，任何一个人都可以问它：一小时之中会不会发生某件事。如果预测机预知这件事会发生，就亮绿灯，表示"会"；如果亮红灯，就表示"不会"。这个机器一经推出受到很多人的欢迎，特别是警察局的警员，因为这样可以减轻他们的工作任务，只有局长不高兴，因为他知道预测机根本就不可靠，用一句话就可以验证。

那么，你知道局长想到了一句什么话吗？

148

男生和女生

周末，老师带领一些学生去郊外游玩。男生戴的是蓝色的帽子，女生戴的是黄色的帽子。但每个男生都说：蓝色的帽子和黄色的帽子一样多；而每个女生说：蓝色的帽子比黄色的帽子多一倍。

请问：男生和女生各有多少个？

149
音乐会上的阴谋

直到音乐会开幕的当晚，格雷对他的两个得意门生巴蒂和埃利谁将首次登台独奏小提琴，仍然犹豫不决。开幕前 15 分钟，他告知巴蒂准备出场演奏，然后将这个决定告知埃利，埃利感到很遗憾。

10 分钟之后，格雷去叫巴蒂准备出场，却发现巴蒂倒毙在小小的化妆间，头部中弹，血流满地，格雷慌忙敲开舞台侧门，将这一惨案报告尼克探长。

探长见开场时间已到，就极力劝格雷先别声张，继续演出，然后他走进埃利的化妆室。埃利听到最后决定让他登台时，没有询问情由，便拉拉领带，拿起琴和弓，随格雷登台了。

当听众如痴如醉地沉浸在优美的乐曲中时，尼克探长却拿起电话通知警察前来逮捕这位初露头角的小提琴手。

你知道探长为什么要逮捕埃利？

150

圣诞老人

　　5 个圣诞老人约好周末参加一次圣诞聚会。他们都不是在同一个时间到达约会地点的：A 不是第一个到达约会地点；B 紧跟在 A 的后面到达约会地点；C 既不是第一个也不是最后一个到达约会地点；D 不是第二个到达约会地点；E 在 D 之后第二个到达约会地点。

　　你知道他们到达约会地点的先后顺序吗？

151
三兄弟购物

强强、壮壮和冬冬三兄弟约定在某个周日去商场。他们各自买了不同的东西(书包、CD、英语字典、篮球之中的一个)。

请根据三人的发言，推断谁买了什么东西。每个男孩的话都有一半是真话，一半是假话。

强强："壮壮买的不是篮球。冬冬买的不是CD。"

壮壮："强强买的不是CD。冬冬买的不是英语词典。"

冬冬："强强买的不是书包。壮壮买的不是英语词典。"

152

找出异常的小球

有 12 个小球特征相同，其中只有一个重量异常（轻或重都有可能），现在要求用一个没有砝码的天平称三次，将那个重量异常的球找出来。想想该怎么称？

153

9 枚硬币

桌上放有 9 枚硬币，双方轮流从中取走 1 枚、3 枚或 4 枚硬币。谁取走最后一枚硬币谁就赢了。请问：应该怎样才能制胜？

154

小花猫搬鱼

　　小花猫有 4 只盘子，其中一个盘子里有 3 条鱼，另外一只盘子里有 1 条鱼，还有两个盘子没有鱼。小花猫尽力克制住自己想吃的欲望，把鱼集中到一个盘子里一起吃，但是它每次只会从两只盘子里分别拿出一条鱼放到第三条盘子里。

　　请问：小花猫要搬运几次，才能把所有鱼都集中到一个盘子里面去？

155
见面分一半

一只从没出过远门的小猴子跑到一块桃园里，摘了很多的桃背起来就走。没走几步，就被山神拦住了，山神说要见面分一半。小猴子只好无奈地把桃分了一半给山神。分完以后，山神看见小猴子的包里有一个特别大的桃，又拿走了那个桃。

小猴子非常不高兴，背着桃悻悻地走了。没走一里路，又被风爷爷拦住了，同样风爷爷从小猴子的包里拿走了一半外加一个。之后，小猴子又被雨神、电神、雷神用同样的办法要走了桃。等小猴子到家的时候，包里只剩下一个桃。小猴子心想：反正就只有一个，干脆我自己吃了吧。这下，却被妈妈看见了。小猴子委屈地向妈妈诉说自己的遭遇。妈妈问他原来有多少个桃，小猴子说他也不知道有多少个桃，而且他们每人拿走了多少也不知道。但妈妈一算就知道猴子原来有多少个桃。你知道吗？

156
疯狂飙车

达达和乐乐两兄弟经常用爸爸买给他们的摩托车进行双人飙车比赛。爸爸为此感到头痛不已。

有一天，爸爸对他们说："我现在要你们两个进行摩托车比赛，晚到那辆车的车主就能够获得出海旅游的机会。"爸爸以为这样就可以阻止他们飙车，没想到比赛一开始两兄弟的车速比以前更快了。

这是为什么呢？

157
真假钻石

年事已高的国王想从众多儿子当中挑选继承人。为了考验儿子们的智慧，国王拿出 10 颗钻石，其中带有标记的一颗才是真钻石。然后将这 10 颗钻石围成一圈，由大家轮流按规则挑选，即任选一颗为起点，接着按照顺时针的方向数，数到 17 的时候这颗就被淘汰，依次类推，继续数下去，直到最后只剩下一颗，这样谁得到那颗真钻石，谁就可以做皇位的继承人。

假如你是皇子，你该怎么数才可以得到那颗真钻石呢？

158
凶杀案

某小区一位富翁被杀了，凶手在逃。经过艰苦的侦查之后，警察抓到了 A、B 两名疑凶，另有 4 名证人在录口供。

证人张先生说："A 是清白的。"

第二位证人李先生说："B 为人光明磊落，他不可能犯罪。"

第三位证人赵师傅说："前面两位证人的证词中，至少有一个是真的。"

最后一位证人王太太说："我可以肯定赵师傅的证词是假的。至于他有什么意图，我就不知道了。"

最后警察经过调查，证实王太太说了实话。请问：凶手究竟是谁？

159
神秘岛上的美女

　　有一位商人到一个盛产美女的神秘岛上想要娶一位妻子。岛上的居民不分男女，可分为：永远说真话的君子；永远撒谎的小人；有时讲真话、有时撒谎的凡夫。商人从甲、乙、丙三人中选一个作妻子。这3个美女中有一个是君子，一个是小人，一个是凡夫，但凡夫是由狐狸变的美女。按照岛上的规定，君子是第一等级，凡夫是第二等级，小人是第三等级。岛上的长老允许商人从3位美女中任选一位，并向她提一个问题，而这个问题只能用"是"或者"不是"来回答问题。

　　请问：商人应该问一个什么问题才能保证不会娶到由狐狸变的凡夫呢？

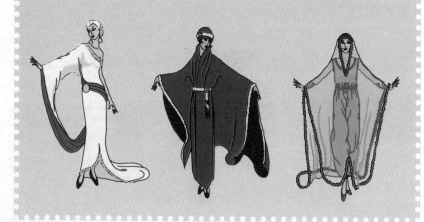

160
常胜将军

张老师、他的妹妹、他的儿子，还有他的女儿都是羽毛球能手。关于这四人的情况如下：

① 常胜将军的双胞胎兄弟或姐妹与表现最差的人性别不同。

② 常胜将军与表现最差的人年龄相同。

请问：这四人中谁是常胜将军？

161
看图做联想

仔细观察下面的图片，想一想这些图片之间有什么联系？

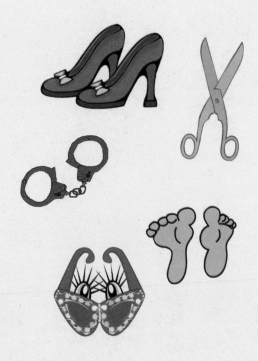

162
白马王子

罗萨公主心目中的白马王子是高鼻子、白皮肤、长相帅气的男士。她认识亚历山大、汤姆、杰克、皮特4位男士，其中只有一位符合她要求的全部条件。

① 4位男士中，只有三人是高鼻子，只有两人是白皮肤，只有一人长相帅气。

② 每位男士都至少符合一个条件。

③ 亚历山大和汤姆都不是白皮肤。

④ 汤姆和杰克鼻子都很高。

⑤ 杰克和皮特并非都是高鼻子。

请问：谁符合罗萨公主要求的全部条件？

163
输与赢

大毛、二毛和三毛三兄弟用零花钱打了几次赌。

①开始,大毛从二毛那里赢得了相等于大毛手头原有数目的钱数。

②接着,二毛从三毛那里赢得了相等于二毛手头剩下数目的钱数。

③最后,三毛从大毛那里赢得了相等于三毛手头剩下数目的钱数。

④结果,他们三人手头所拥有的钱数相同。

⑤我在开始时有50元。

请问:说这番话的是大毛、二毛、三毛中的哪一个?在开始打赌前,他们各自有多少零花钱?

我在开始时有50元。

164
谁是谁的新娘

　　大林、二林和小林三兄弟家的隔壁住了春红、夏红、秋红三姐妹。他们彼此都有喜欢的对象，三对恋人决定一起结婚。但他们非常害羞，在说自己的新娘、新郎的时候都故意讲错。

　　(1)大林："我要跟春红结婚。"

　　(2)春红："我要跟小林结婚。"

　　(3)小林："我要跟秋红结婚。"

　　请猜猜谁是谁的新娘？

165

奇怪的城镇

　　某国有一个城镇里的人特别爱好休闲。这个城镇只有一家便利店、一家打折商场和一家邮局。每星期中只有一天全部开门营业。

　　① 每星期这三家单位各开门营业 4 天。

　　② 三家单位没有一家连续 3 天开门营业。

　　③ 星期天这三家单位都停止营业。

　　④ 在连续的 6 天中：

　　第一天，打折商场停止营业；

　　第二天，便利店停止营业；

　　第三天，邮局停止营业；

　　第四天，便利店停止营业；

　　第五天，打折商场停止营业；

　　第六天，邮局停止营业。

　　有一个人初次来到这个城镇，他想在一天之内去便利店里买东西，又要去打折商场买衣服，还要去邮局寄信。请问：他该选择星期几出门？

邮局　　　　　便利店　　　　打折商场

166
圣诞舞会

今年的圣诞舞会上，一共有19个人参加。中间休息的时候，罗文先生看到丽莎一个人站在角落里喝酒。参加舞会的人的具体情况如下：

① 有7人是单独一人来的，其余的都是和伴侣一起来的。和伴侣一起来的，或是双方已相互订婚，或是已结婚。

② 凡单独前来的女士都没有订婚。

③ 凡单独前来的男士都不处于订婚阶段。

④ 参加舞会的男士中，处于订婚阶段的人数等于已经结婚的人数。

⑤ 单独前来的已婚男士的人数和单独前来的尚未订婚的男士的人数相等。

⑥ 在参加舞会的已经结婚、处于订婚阶段和尚未订婚这三种类型的女士中，丽莎属于人数最多的那种类型。

还没有订婚的罗文先生想知道丽莎属于哪一类型的女士，看他是否还有机会？你知道吗？

167
连线谜题

用 3 条不相交的线连接颜色相同的五角星，每个五角星的后面只能绕过一次。

168
超市盗窃案

　　一天，某超市的监控器坏了，但仍在正常营业，店长在巡视的时候发现一个台灯被偷了。警方经过慎密地调查，认为甲、乙和丙是怀疑对象。3个人在不同的时间分别受到警方的传讯，3个人各作了一条供词。具体如下：

　　① 甲没有偷东西。

　　② 乙说的是真话。

　　③ 丙在撒谎。

　　供词①是最先讲的，供词②③不一定是按讲话的时间先后顺序的，但它们都是针对在其前面所作的供词的。目前只知道，他们每个人作的一条供词，都是针对另一个怀疑对象，而且盗窃者就是他们其中的一个，他作了伪证。

　　请问：这3个人当中谁是盗窃者？

169
一模一样

一个人杀人之后便逃之夭夭。警探赶到现场后，根据目击者提供的情况，在一家饭店里发现了他。可这个小伙子说自己一直在这儿，吃饭后，就在这里看电视，根本就没有离开过饭店。

饭店的经理和周围的人也证实了他的说法。可目击者却一致确认，从相貌和衣着上看，这个小伙子就是那个作案者。后来，警探化验了凶手留下的指纹，发现指纹和这个小伙子的明显不符。

警探忽然明白了，于是，他赶紧和助手去查了小伙子的户口册，果然如此。根据这个线索，很顺利就把凶手抓到了，并且证明确实不是这个小伙子。

请问：警探是如何找到凶手的？

170
同学聚会

甲、乙、丙和丁 4 人在酒吧里围坐着一张正方形桌子喝酒时，丁突然中毒身亡。对于警探的讯问，每人各作了如下的两条供词：

甲：我坐在乙的旁边。不是乙就是丙坐在我的右侧，这个人不可能毒死丁。

乙：我坐在丙的旁边。不是甲就是丙坐在丁的右侧，这个人不可能毒死丁。

丙：我坐在丁的对面。如果我们当中只有一个人撒谎，那人就是毒死丁的凶手。

警探在和酒吧的侍者交谈之后，证实他们中只有一个人撒谎，也确实只有一个人毒死了丁。请问：到底是谁毒死了丁？

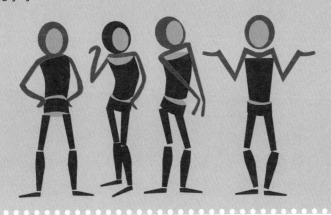

171
休闲城镇

　　著名的休闲城镇里有一家餐厅、一家百货商场和一家蛋糕店。丁丁到达休闲城镇的那一天,蛋糕店正好开门营业。这个休闲城镇一星期中没有一天餐厅、百货商场和蛋糕店全都开门营业。百货商场每星期开门营业4天,餐厅每星期开门营业5天,星期日和星期三这三家单位都关门休息。在连续的三天中:

　　第一天,百货商场关门休息;

　　第二天,蛋糕店关门休息;

　　第三天,餐厅关门休息。

　　在连续的三天中:

　　第一天,蛋糕店关门休息;

　　第二天,餐厅关门休息;

　　第三天,百货商场关门休息。

　　请问:丁丁到达休闲城镇是一星期七天中的哪一天?

百货商场　　　　餐厅　　　　蛋糕店

172
猜扑克牌

桌上有8张已经编号的纸牌扣在上面，它们的位置如图所示：

在这8张牌中，只有K、Q、J和A这四种牌。其中至少有一张是Q，每张Q都在两张K之间，至少有一张K在两张J之间。没有一张J与Q相邻；其中只有一张A，没有一张K与A相邻，但至少有一张K和另一张K相邻。

你能找出这8张纸牌中哪一张是A吗？

173
两个电话

有一个朋友打电话向保罗问了一个问题。保罗回答说："哦，我告诉你吧。"

挂了电话后，过了一会儿，又有一个朋友打电话来，问了他一个几乎一样的问题，这次保罗却回答："笨蛋！这我怎么会知道？"

保罗跟这位朋友也不是关系特别不好，也不是在开玩笑。

请你想想他到底被这两个朋友问了什么样的问题？

174
孤独的小女孩

唐唐是一个非常可爱的女孩子，这个星期从周一到周四爸爸妈妈都出差了，剩下她一个人在家。幸好妈妈准备了足够的面包给她当作干粮。唐唐在周一到周四的4天中每天都吃了一些面包。她每天都吃椰蓉面包和豆沙面包。每天吃的椰蓉面包的数量各不相同，在1~4个之间。而且，吃的豆沙面包的数量每天也不一样，在1~5个之间。

根据以下条件，回答唐唐每天分别吃了哪一种面包，吃了多少个?

① 一天中吃掉的面包总数量随着日期的增加而每天增加一个。

② 星期一吃了3个椰蓉面包；星期二吃了一个椰蓉面包；星期四吃了5个豆沙包。

③ 四天中吃的每种面包的各自的数量也都不一样。

175
填色游戏

将这些圆形分别填上红、黄、蓝和绿色，使得：
①每种颜色的圆形至少3个。
②每个绿色圆形都正好和3个红色圆形相接。
③每个蓝色圆形都正好和2个黄色圆形相接。
④每个黄色圆形都至少各有一处分别和红色、绿色和蓝色圆形相接。

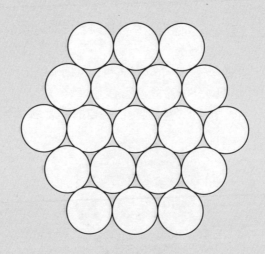

176
地图

小童住在甲区，她的朋友婷婷住在乙区。一天，婷婷想去小童家玩，小童该如何以"最简单"的方法（她走的路程不一定是最短的）告诉婷婷用下面的地图找到甲区？

177
照片上的人

有一个人在上班时间看照片。当有人问这个人在看谁的照片时，这个人回答说："照片上的人的丈夫的母亲，是我丈夫的父亲的妻子的女儿，而我丈夫的母亲只生了他一个孩子。"

请问：这个人在看谁的照片？

178

生日会

在拉拉的 13 岁生日会上，来了 12 个小孩。每四个孩子属于一个家庭，共来自甲、乙、丙这三个不同的家庭，当然也包括拉拉所在的家庭。这 13 个孩子中，除了拉拉13 岁外，其余的都不到 13 岁，而且每个孩子的年龄都各不相同。在 1~13 这 13 个数字中，除了某个数字以外，其余的数字都表示某个孩子的年龄。把每个家庭孩子的年龄加起来，得出以下结果：

甲家庭：年龄总数 41，包括一个 12 岁；

乙家庭：年龄总数 23，包括一个 5 岁；

丙家庭：年龄总数 21，包括一个 4 岁。

请问：拉拉属于哪一个家庭？

179

谁有钱

在一个灾荒之年，可怜的父亲都要面临断炊了，所以不得不求助于5个都已成家立业的儿子。他不知道哪个儿子有钱，但他知道，兄弟之间彼此知道底细，且有钱的说的都是假话，没钱的才说真话。

老大说："老三说过，我的四个兄弟中，只有一个有钱。"

老二说："老五说过，我的四个兄弟中，有两个有钱。"

老三说："老四说过，我们兄弟五个都没钱。"

老四说："老大和老二都有钱。"

老五说："老三有钱，另外老大承认过他有钱。"

5个儿子中谁有钱，你知道吗？

180
粗心的汤姆先生

　　粗心的汤姆先生把 5000 元现金落在了客厅的桌上。等他想起来时，钱已经不见了。家里只有他的两个孩子：杰米和雷米。

　　杰米说："是的。我看见了。我把它放在了你房间书桌上，用一本黄皮书压着了。"

　　雷米说："是的。我也看见了，我把它夹在了黄皮书的第 113 页和 114 页之间。"

　　汤姆听完他们两个人的说辞立刻就明白谁撒了谎。你知道吗？

181

原始森林

　　一个晴朗的午后，一位旅行家不小心迷了路。在这个渺无人烟的原始森林里住着一个原始部落，部落里有一些人只说实话，有一些人只说谎话。

　　旅行家觉得非常口渴，想要一点水喝。走着走着发现前面有一个水桶，于是他随便问了一位村人这水可不可以喝。

　　"今天天气真好啊！"

　　"是的。"

　　"这水可以喝吗？"

　　"是的。"

　　请问，这水到底可不可以喝呢？

182

成绩表

期末考试后，班主任老师统计了班上最典型的4个人的成绩。

① 有甲、乙、丙、丁、戊5个等级的评分，4个人中没有评为丁和戊的。

② 有1人3科成绩都是甲。

③ 有1人某科成绩是甲，某科成绩是乙，某科成绩是丙。

④ 有2人两科相同科目的成绩都是甲。

⑤ 语文成绩中没有乙。

⑥ 江子和雷雷的语文成绩相同。

⑦ 宇春的数学成绩和雷雷的英语成绩相同。

⑧ 夏雨成绩中有一科是丙。

⑨ 江子的英语成绩和夏雨的数学成绩相同。

根据上面所述，完成下面的表格。

	语文	数学	英语
宇春	丙		
夏雨			乙
江子		甲	
雷雷		甲	

183
谁击中了杀手

　　拿破仑身边有 A、B、C、D、E、F、G、H 8 个保镖。一次，有个杀手谋杀拿破仑未遂，正在逃跑的时候，8 个保镖都开枪了，杀手被其中一个人的子弹击中了，但不知道是谁击中的，下面是他们的谈话：

　　A："或者是 H 击中的，或者是 F 击中的。"

　　B："如果这颗子弹正好击中杀手的头部，那么是我击中的。"

　　C："我可以断定是 G 击中的。"

　　D："即使这颗子弹正好击中杀手的头部，也不可能是 B 击中的。"

　　E："A 猜错了。"

　　F："不会是我击中的，也不是 H 击中的。"

　　G："不是 C 击中的。"

　　H："A 没有猜错。"

　　事实上，8 个保镖中有 3 人猜对了。你知道谁击中了杀手吗？假如有 5 个人猜对，那么又是谁击中了杀手呢？

184

灌蓝高手

　　小花、小娟、小叶、小美 4 人是很好的朋友，她们每个人都有一些灌蓝高手的收藏画（数量不同，5~8 幅）。有一天，小花送给另外 3 人中的 1 人一些收藏画，小娟、小叶、小美也做了同样的事情。结果每人都分别从别人那里得到了收藏画，互相赠送的收藏画数量各不相同，在 1~4 幅之间。交换后，4 人手里的收藏画数量依然不相等。

　　根据以下条件，请推断最初这 4 人各有几幅收藏画？每人又给谁多少幅？交换后每人又有多少幅呢？

　　① 小花最初拿着 7 幅，送给了小娟几幅。

　　② 小娟向某人赠送了 3 幅。

　　③ 小叶从别人那里得到一幅。

185
3个女儿采花

　　农夫生有3个女儿，这一家常年靠到山上采花为生。碰巧他的3个女儿除了会采花以外，什么都不会。一天，农夫来检查她们的采花情况，大女儿说她采了一束花，二女儿说她采了2束，小女儿说她采了3束，但她们一共只采4束花，显然至少有一个人在撒谎。

　　大女儿说："三妹妹一贯都喜欢撒谎。"

　　二女儿说："她们都说了谎。"

　　小女儿说："二姐说谎了。"

　　请问：她们各采了多少束花？

186
家庭案件

在一个偏远的国度里，住着一对夫妇和他们的儿子、女儿组成的四口之家。一天晚上，为了分财产，家里发生了一起谋杀案。家庭中的一个人杀害了另一个人；其他两个人，一个是目击者，另一个则是凶手的同谋。

① 同谋和目击者性别不同。

② 最年长的成员和目击者性别不同。

③ 最年轻的成员和被害者性别不同。

④ 同谋的年龄比被害者大。

⑤ 父亲是最年长的成员。

⑥ 凶手不是最年轻的成员。

请问：这四人中，谁是凶手？

187
消失的颜色

仔细看右图，想想图中空白的圆圈该填什么颜色？

188
小鸟吃虫子

在一个虫子不太多的日子里，黄鸟、白鸟、黑鸟、绿鸟4只鸟还是想方设法各自捉到了一条虫子。虫子的长度各不相同，分别是3厘米、4厘米、5厘米、6厘米。以下是4只鸟的话，其中捉到红色虫子的2只鸟是真话，捉到黑色虫子的2只鸟的话是假话。

黄鸟："我捉的虫子有4厘米或者5厘米长。"

白鸟："黑鸟捉的虫子是3厘米的红虫子。"

黑鸟："绿鸟捉的虫子是5厘米的黑虫子。"

绿鸟："白鸟捉的虫子是4厘米的红虫子。"

请问：每只鸟分别捉到了多长的什么颜色的虫子？

189
游泳冠军

甲、乙、丙和丁四人进行一次游泳比赛，最后分出了高低。但这四个人都是出了名的撒谎者，他们所说的游泳结果是：

甲：我刚好比乙先到达终点。我不是第一名。

乙：我刚好比丙先到达终点。我不是第二名。

丙：我刚好比丁先到达终点。我不是第三名。

丁：我刚好比甲先到达终点。我不是最后一名。

上面这些话中只有两句是真话，取得第一名的那个人至少说了一句真话。

请问：这四人中谁是游泳冠军？

190

4公里差距

　　一位农民路过一个池塘时发现池塘里漂着一具尸体，他立即向警方报了案。在池塘旁的泥地上，警方发现了一些汽车的痕迹。很显然尸体是被人从别处运来的。

　　根据车痕，警方很快查到，车子是属于离该地10公里一家车辆出租公司的。车辆出租公司的人翻查记录，证实是一个叫山野的男子租了这部车。警方马上找到山野，向他证实。山野说他的车子只走了16公里，但从出租公司到池塘只有10公里，来回一趟汽车要走20公里，所以他根本就不可能是凶手。

　　后经调查，发现这部车按里数表的读数计算确实只走了16公里。山野明明是杀人凶手，他用了什么诡计，改变里数表的数字呢？

191

奇怪的中毒事件

一天早晨，某集团的董事长死在自己的车库里。死因是氰酸钾中毒，是在准备出车库时，吸入剧毒气体致死的。

可是，案发那天，周围既无人接近过车库，现场也未发现有任何可能产生氰酸钾的药品和容器。那么，罪犯究竟是用了什么手段将富翁毒死呢的？

调查这一案件的侦探发现，汽车的一个轮胎气已爆胎，被压得扁扁的，他马上就识破了作案手段。你知道凶手是如何作案的？

192

缺一种声音

一位评论家的仆人早上打扫卫生时，发现他的主人胸部中了两枪，倒地而亡。

亨利探长在现场了解情况，鉴定人员告诉他死亡时间确定为昨晚22：00左右。

正在鉴定人员答话时，挂在书房墙上的鸽子报时钟"咕咕咕"地响了，挂钟里的鸽子从小窗中探出头报了10点。

因为鉴定人员到达现场时收音机正开着，录音键也按着。将磁带转到头一放，录的是昨晚22：10分结束的巨人队和步行者队决赛的比赛实况。

鉴定人员按下了桌上录音机的放音键，里面传出了比赛实况的转播声。亨利探长一边看着手表一边听着，然后他肯定地说受害人不是在这个书房而是在别处被杀，连同录音机转移到这里伪装杀人现场的。

请问：亨利探长是根据什么来判断的？

193
谁是老大

警察在车厢里发现一伙人赌博，他们是张三、李四、王五、阿七。在审问他们谁是老大时，他们的回答各不相同。

张三说："老大是王五。"

李四说："我不是老大。"

王五说："李四是老大。"

阿七说："张三是老大。"

经过了解，这一伙人中只有一个人说的是实话，其他三人说的都是假话。

警长问他的部下："知道谁是头儿吗？"

部下指着一个人说："是他。"

请问：你知道"他"是谁吗？

194
寻找果汁

有 4 个瓶子分别装
有白酒、啤酒、可乐、
果汁，但是在装有果汁
的瓶子上的标签是假
的，其他的瓶子上的标
签是真的。根据下图，
你知道每个瓶子里分别
装的是什么东西吗？

甲　乙　丙　丁

195
扑克牌

龙先生正和他生意上的朋友一起玩扑
克牌。龙先生手上拿到了 13 张牌。黑桃、
红桃、梅花、方块这四种图案都至少有一
张以上，但是，每种图案的张数都不一样。
黑桃跟红桃的张数合计一共是 6 张。黑桃
跟方块的张数合计一共是 5 张。龙先生手
中有一种相同花色的扑克牌是 2 张。

请问：有 2 张牌的花色是什么？

196
魔术阶梯

这个魔术阶梯是有名的施罗德阶梯，如果你将它倒过来看就知道它有什么特别之处。

现在请在每一阶上各放一张黑色和白色的卡片，使每一阶卡片的数字之和形成5个连续的数字（即9、10、11、12、13）。

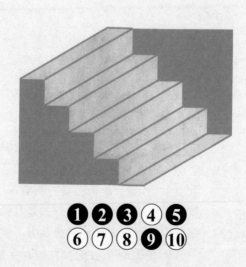

197
赌局

赌局现在到了最后决出胜负的关键时刻。

蒋老大非常幸运地赢了 700 个金条，现居第一名。第二名的贾老大稍微落后，赢了 500 个金条。其余的人都已经输光了。

蒋老大犹豫着，要将手上的筹码押一部分在"偶数"或"奇数"上，赢的话赌金就可以变成两倍。另一边，贾老大已经把所有筹码都押在"三的倍数"上，赢的话赌金可以变成三倍，运气好的话他就可以反败为胜。

请问：蒋老大应该怎么下注才能稳操胜券呢？

3X

奇数　偶数

198
女秘书

由于朗克总裁被杀，他的三位秘书玛丽、琳达和莉莉都受到警方的传讯。这三人中有一人是凶手，另一个人是同谋，第三个人则是毫不知情者。她们的供词说的都是别人，这些供词中至少有一条是毫不知情者说的，而且毫无知情者说的都是真话。她们的供词如下：

① 玛丽不是同谋。

② 琳达不是凶手。

③ 莉莉参与了此次谋杀。

请问：这三位秘书中，哪一个是凶手？

199
迷路的兔子

兔子小姐不小心掉进了很多格子的盒子里。她好想出去走走，可又怕被主人发现，而且她一次只能"上下"或"左右"移动一格，不能跳动。

请你帮她想想要如何走，才能走完所有的格子回到原点，而且不被主人发现呢？

200

冰上过河

　　一个寒冷的冬天，一支部队来到了松花江边上，可即使是冬天，松花江面还只是结了一层薄薄的只有五六厘米厚的冰，冰上面覆盖着一层雪。很明显这样踩在冰面上是很危险的，只有等到冰层达到七八厘米才会安全。大家正着急的时候，一位新来的士兵想出一条妙计，部队只等了一会儿，冰层的厚度就达到了8厘米以上。你知道他想出了一条什么妙计吗？

前言中的《天使和魔鬼》的答案：

① 一个天使和一个魔鬼走，天使回。

② 两个魔鬼走，魔鬼回。

③ 两个天使走，一个天使和一个魔鬼回。

④ 两个天使走，一个魔鬼回。

⑤ 两个魔鬼走，一个魔鬼回。

⑥ 两个魔鬼走。

1. 轮胎如何换

如果给8个轮胎分别编为1~8号，每5千里换一次轮胎，配用的轮胎可以用下面的组合：123（第一次可行驶1万里）、124、134、234、456、567、568、578、678。

2. 有几个天使

至少有2个天使。

假设甲是魔鬼的话，由此可推断他们几个都是魔鬼，那么，乙是魔鬼的同时又说了实话，存在矛盾。所以甲是天使。假设乙是天使的话，从她的话来看，丙就成了魔鬼，相反，假设乙是魔鬼的话，从她的话来看，丙就是天使了。所以，无论怎样，都会有2个天使。

3. 10枚硬币

这是一个后发制胜的游戏。谁先开局谁必输。如果你的对手稍微聪明一点，就不会在你先取1枚后，他取4枚，最后出现他输的局面。

4. 换汽水

最多40瓶。

20个空瓶子换10瓶，10瓶换5瓶，5个空瓶中拿4个换两瓶，然后就有了3个空瓶子，其中2空瓶换1瓶，最后只有两个瓶子的时候，换取最后一瓶。还剩一个空瓶子，把这1个空瓶换1瓶汽水，这样还欠商家1个空瓶，等喝完换来的那瓶汽水再把瓶子还给人家即可。所以最多可以喝的汽水数为：20 + 10 + 5 + 2 + 1 + 1 + 1=40。

5. 环球飞行

假设3架飞机分别为A、B、C。

3架（ABC）同时起飞，飞行至1/8处，其中一架(A)分油后，安全返航；剩余两架(BC)飞行到1/4处时，其中一架(B)分油后，安全返航；A降落后加完油，在B返回后马上起飞，逆向接应C；同样B降落后加完油，也立即逆向起飞，接应AC；两架（AC）在逆向1/4处相遇，分油后，同飞行；3架（ABC）飞机在逆向1/8处相遇，分油后继续飞行，这样就可以完成任务了。

所以，3架飞机飞5次就可以完成任务。

6. 最后的弹孔

最后一枪的弹孔是 C。后发射的子弹，其裂纹在先发射的子弹裂纹处被挡住停下。按顺次查一下就知道子弹发射的顺序是 D、A、B、C。

7. 淑女裙

黄色。

8. 填空格

这张图里的 3 种图案排列，由里到外形成一个漩涡状，排列的顺序依序如图所示：

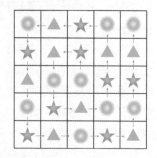

9 . 七环金链

取出第三个金环，形成 1 个、2 个、4 个三组。第一周：领 1 个；第二周：领 2 个，还回 1 个；第三周：再领 1 个；第四周：领 4 个，还回 1 个、2 个；第五周：再领 1 个；第六周：领 2 个，还

回 1 个；第七周：领 1 个。

10. 母鸡下蛋

母鸡能在格子里下 12 只蛋。

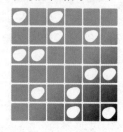

11. 新手司机

从其他 3 个轮胎上各取下 1 个螺丝，用 3 个螺丝去固定刚换下来的轮胎。

12. 魔方的颜色

6 个小立方体一面是绿色；12 个小立方体两面是绿色；8 个小立方体三面是绿色；没有小立方体四面是绿色；1 个立方体所有的面都没有绿色。

13. 一句话定生死

因犯说的话是："你一定砍死我。"国王听了左右为难，因为如果真的砍了他的头，那么他说的就成了真话，而说真话的应该被绞死；但是如果要绞死他的话，他说的话又成了假话了，而说假话的人是应该砍头的。

14. 请病假

圆珠笔如果倒着朝上写字，很快就会写不出字的。

15. 老实的骗子

如图所示，从爷爷的左边开始，以此是儿子、女儿、爸爸、妈妈。

16. 单只通过

由一只蚂蚁把沙粒拉出凹处，放在通道里；然后另一只蚂蚁进入凹处；再由那只蚂蚁推着沙粒过凹处后暂停；然后另一只蚂蚁爬出凹处，沿通道爬走；最后那只蚂蚁将沙粒拖回凹处，自己走开。

17. 奇怪的锁

这把锁的设计在于如果你把钥匙拔出来，锁栓就变成了一条直线，那样你不用钥匙就可以开门了。事实上，只有你把钥匙插进去才能把门锁住。

18. 过河

先把狗带到对岸，然后返回，把一只小羊带过去，顺便把狗带回原岸，把另一只小羊带到对岸。然后再返回，把狗带过去。

19. 强盗分赃

从后向前推，如果1～3号强盗都喂了鲨鱼，只剩4号和5号的话，5号一定投反对票让4号喂鲨鱼，以独吞全部金币。所以，4号唯有支持3号才能保命。3号知道这一点，就会提出(100，0，0)的分配方案，对4号、5号一毛不拔而将全部金币归为已有，因为他知道4号一无所获但还是会投赞成票，再加上自己一票，他的方案即可通过。不过，2号推知到3号的方案，就会提出(98，0，1，1)的方案，即放弃3号，而给予4号和5号各一枚金币。由于该方案对于4号和5号来说比在3号分配时更为有利，他们将支持他，不希望他出局而由3号来分配。这样，2号将拿走98枚金币。不过，2号的方案会被1号所洞悉，1号并将提出(97，0，1，2，0)或(97，0，1，0，2)的方案，即放弃2号，而给3号一枚金币，同时给4号（或5号）2枚金币。由于1号的这一方案对于3号和4号（或5号）来说，相比2号分配时更优，他们将投1号的赞成票，再加上1号自己的票，1号的方案可获通过，97枚金币可轻松落入囊中。这无疑是1号能够获取最大收益的方案了！

20. 爱因斯坦的谜题

挪威人住黄屋子，抽Dunhill，喝水，养猫；

丹麦人住蓝屋子，抽Blends，喝茶，养马；

英国人住红屋子，抽Pall Mall，喝牛奶，养鸟；

德国人住绿屋子，抽Prince，喝咖啡，养鱼；

瑞典人住白屋子，抽Blue Master，喝啤酒，养狗。

所以答案是：德国人养鱼。

21. 经过多少次12点处

会61次经过12点处。

22. 到底是星期几

星期三。首先你要弄清楚今天是星期一，才能判断后天的日期。

23. 有趣的类比

8。图中的方格被编以1到9之间的号，从左上角开始，先从左到右，再从右到左，最后又从左到右。

24. 赛马

这样的结果是可以发生的：
第一次：甲、乙、丙、丁
第二次：乙、丙、丁、甲
第三次：丙、丁、甲、乙
第四次：丁、甲、乙、丙

25. 杰克是哪里人

杰克不是英国人。

26. 花瓣游戏

后摘者只要保证花瓣剩下数量相等的两组（两组之间）以被摘除花瓣的空缺隔开，就一定能赢得这个游戏。

比如，先摘者摘一片花瓣，则后摘者摘取另一边的两片花瓣，留下各有5片的两组花瓣。

如果先摘者摘取两片花瓣，则后摘者摘取1片花瓣，同样形成那种格局。之后，前者摘除几片，后者就在另一组中摘除同样多的花瓣。通过这种办法，到最后那一步，她肯定能赢得最终胜利。

27. 无价之宝

开始时只有1颗，第二天出现了6颗，第三天又出现了12颗，三天后又出现了18颗，计算公式为：1 + 6 + 12 + 18 + 24 + 30 + 36=127颗。

28. 纸牌游戏

甲拿的两张牌是1、9；乙为4、5；丙为3、8；丁为2、6。剩下的那张牌是7。

29. 谁是主角

埃兹拉是电影主角。

30. 什么时候聚会

7个年轻人要隔许多天才能在餐厅里相聚一次，这个天数加1需能被1~7之间的所有自然数整除。1~7的最小公倍数是420，也就是说，他们每隔419天才能一齐聚于餐厅。因为上一次聚会是在2

月29日，可知这一年是闰年。那么第二年2月份就只有28天一种可能。由此可推，他们下一次相聚是在第二年的4月24日。

31. 谁是智者

智者是乙。

32. 谁害了富翁

约翰是凶手。

33. 种树的难题

按下图的栽法，可使得16棵树形成15行，每行4棵。

34. 孪生姐妹

丁丁没有撒谎。姐姐是在2001年1月1日出生在一艘由西向东将过日界线的客轮上，而妹妹则是在客轮过了日界线后才出生的。那时的时间还是处在2000年12月31日。所以，按年月日计算，妹妹似乎要比姐姐早 1 年出生。

35. 谁是贫困生
Lily 并非家境富裕，她是贫困生。

36. 野炊分工
老大洗菜，老二淘米，老三烧水，老四挑水。

37. 黄色蝴蝶发带和绿色围巾
有妖法的女子是思思。

系着妖法围巾的是思思和平平。

戴着妖法蝴蝶发带的是蕾蕾和思思。

38. 人和魔鬼
可以问："你的神志正常吗？"便可区别答话者是人还是魔鬼。

39. 谁在前面，谁在后面
他们的顺序以此是：戊、丙、己、丁、甲、乙。

40. 是谁闯的祸
是丙干的。乙和丁中一定有

一个小孩在说谎，假设乙没有说谎，那么这件事就是丁做的，而丙说的话也同样正确，因为只有一个孩子说了实话，所以乙在说谎。也就是说，这 4 个孩子中，只有丁说了实话。因此可以断定，是丙打碎了李阿姨家的玻璃。

41. 分机器人
4 个女孩的姓名分别是：燕妮·琼斯、玫利·哈文、培拉·史密斯和米奇·安德鲁。

42. 冬天还是夏天
左图是夏天画的。因为夏天 11 点钟时太阳处于屋顶上方，照射进屋里的光线面积小。右图是冬天画的。

43. 谁是老师
由 "丙比组长年龄大" 知道，丙不是组长，丙的年龄比组长的大。

由"学习委员比乙年龄小"知道，乙不是学习委员，乙的年龄比学习委员的大。

由"甲和学习委员不同岁"知道，甲不是学习委员。

既然知道了甲和乙都不是学

习委员,那么丙就一定是学习委员了。3个人的年龄顺序是:乙>学习委员丙>组长。从这一顺序上看,乙不是组长,那他一定是班长了,而组长则是甲了。

44. 谁送的礼品

"鸡尾酒"先生所收到的礼品是"威士忌"先生送的。"茅台"先生送给"白兰地"先生鸡尾酒;"白兰地"先生送给"威士忌"先生伏特加;"威士忌"先生送给"鸡尾酒"先生茅台酒;"鸡尾酒"先生送给"伏特加"先生白兰地;"伏特加"先生送给"茅台"先生"威士忌"酒。

45. 三兄弟的房间

把三个房间命名为甲、乙、丙,小明三兄弟分别拿一个房间的钥匙,再把剩下的钥匙这样安排:甲房内挂乙房的钥匙,乙房内挂丙房的钥匙,丙房内挂甲房的钥匙。这样,无论谁先到家,都能凭着自己掌握的一把钥匙进入三个房间。

46. 汽车是谁的
①丽萨;
②玛丽;

③凯特;
④丽萨;
⑤玛丽。

47. 他们点的什么菜

根据②和①,如果阿德里安要的是火腿,那么布福德要的就是猪排,卡特要的也是猪排。这种情况与③矛盾。因此,阿德里安要的只能是猪排。于是,根据②,卡特要的只能是火腿。因此,只有布福德才能昨天要火腿,今天要猪排。

48. 一个关键的指纹

这是一道测试你阅读是否足够仔细的题目,如果你粗心大意的话,可就犯下和汤姆一样的错误了。欧文斯是按门铃进来的,所以门铃按钮上还留有一个指纹,而警察敲门进来的原因,就是不破坏这最后一个没有被清除掉的指纹。

49. 谁男谁女

甲、乙、戊、庚为男性;丁、丙、己为女性。

50. 难解的血缘关系

罗西是唯一的女性。
假设比尔的父亲是罗西,那

么罗西的同胞兄弟必定是哈文，于是哈文的女儿必定是比尔。从而得出比尔是哈文和罗西两人的女儿，而哈文和罗西又是同胞兄弟，这是违背道德伦理的关系，是不容许的。所以，比尔的父亲是哈文，罗西的同胞兄弟就是比尔。罗西是女性。

51. 谁是幸运者

根据已知条件得知，D 和 E 中必定有一位与A和C属于相同的年龄档，而A和C都小于30岁。按照校长的要求，他是不会选择A和C的。另外，从条件中得知，C 和 D 当中必定有一位与B和E的职业相同，因此，B 和 E 是秘书。所以校长必定会选择 D 女士做学校的舞蹈教师。

52. 买衣服

凯特买的是"英雄牌"衣服，吉姆买的是"佳人牌"衣服，苏森买的是"豪杰牌"衣服，乔治买的是"风华牌"衣服。

53. 谁在撒谎

假如小艾的话是真实的话，那么小美的话就是假的，相反，如果小艾的话是假话的话，那么小美的话就是真话，据此推测，小艾和小美之间必定有1人在撒谎。以此类推，5人中应该有3人在撒谎。

54. 幸运的姑娘们

根据①②④得出以下三个组合：

①李琳，农夫家的女儿，黑狼；

②李琳，宾馆家的姑娘，黑狼；

③李琳，宾馆家的姑娘，白狼。

同样，也可以根据条件对依云和茉莉进行组合。综合一下，就可得出正确结果：李琳是农夫家的女儿，被探险家从黑狼爪下救出来的；依云是宾馆家的女儿，被探险家从红狼爪下救出来的；茉莉是书店家的女儿，被探险家从白狼爪下救出来的。

55. 避暑山庄

4 人的滞留时间之和是 20 天。

根据①得知，最长时间是丁，日数在6天(根据②③来看，丁虽然入住时间最长，也是从2日到

7日离开的)。

假设乙和丙分别滞留了4天以下，因为丁是6天以下，甲若是6天以上，就不是最短的，所以乙和丙都是5天。

根据③可知，丙是从1日入住到5日。如果乙是从3日入住的话，7日离开，那就与丁重合了，所以乙是从4日入住到8日。剩下的甲就是从3日到6日(滞留了4日)。

因此，甲是从3日入住6日离开的；乙是从4日入住8日离开的；丙是从1日入住5日离开的；丁是从2日入住7日离开的。

56. 兔子的谎言

甲：2岁；

乙：4岁；

丙：3岁；

丁：1岁。

如果丙兔子说的话是假的话，丙就比甲年龄小，而且甲就是1岁，这是不可能的。

所以丙兔子的发言是真实的，甲不是1岁，丙比甲年龄要大。

如果甲的发言是真的话，就是乙3岁，甲比乙年龄大，即甲4岁，这与上面的分析是矛盾的。

所以，甲的话是假的，乙也不是3岁，甲比乙年龄要小。

根据以上分析，乙是4岁，丙是3岁，甲是2岁，剩下的丁就是1岁。

57. 古希腊的传说

假设玛丽是受害者，那么露西的话虽然是对受害者说的却又是真的，所以，玛丽不可能是受害者。

假设瑞利是受害者，那么玛丽和劳尔的发言虽然是对被害者说的却又是真的。所以，瑞利不可能是受害者。

假设劳尔是受害者，那么瑞利的话是对受害者说的却又是真的，所以劳尔不可能是受害者。

综上可知，露西就是受害者。

58. 失窃的公文包

电力工程师在说谎。日本国旗是白底加太阳的图案，无所谓正反的区别，更别说出现挂倒这种事情了。所以，电力工程师根本没有重新挂国旗，他有足够的时间作案。

在大多数时候，只要根据严密的逻辑推理和正确的判断，就能顺利解决问题，需要注意的是，不要遗漏任何细节。

59. 一笔画图

这个图可以经过13个转折一笔画成：

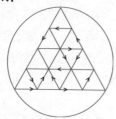

60. 猫的谎言

假设花猫的话是假的，那么花猫小于白猫，白猫就只有1条，这是相互矛盾的。

所以，花猫的话是真实的，花猫≥白猫，白猫捉的鱼不可能是1条……Ⅰ

假设黑猫的话是假的，黑猫小于花猫，花猫就是2条，所以黑猫就是1条。那么，白猫的话就成了假的，而且必须是白猫小于黑猫，这与Ⅰ相互矛盾，不可能。

所以，黑猫的话是真的，黑猫≥花猫，花猫捉的鱼不可能是2条……Ⅱ

根据Ⅰ、Ⅱ可知，可能性有

以下几种：

白猫2条、花猫3条、黑猫3条……Ⅲ

白猫3条、花猫3条、黑猫3条……Ⅳ

Ⅳ的情况下，白猫和黑猫是同样的，但是，白猫又撒了谎，这是不可能的。

所以，Ⅲ是正确答案。

61. 坐座位

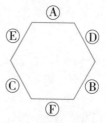

62. 探险家的问题

"如果我问你'今天没有猛兽出没，是吗？'你会回答我'是'，对不对？"

63. 相互牵制的僵局

若波波是诚实的，波波的回答应该是正确的。因此，哈瑞也是诚实的。因为哈瑞回答："杰森在说谎。"所以，杰森在说谎。经常说谎的杰森肯定说谎话："波波在说谎"。

相反，如果是波波在说谎，波波所说的话是谎言。哈瑞也在说谎。因为哈瑞回答说："杰森在说谎。"所以，杰森是诚实的。正直的杰森应该正直地回答："波波在说谎。"

也就是说，无论在哪种情况下，杰森都会回答："波波在说谎。"

64. 美人鱼的钻戒

4个人共有10枚钻戒：

艾艾＋拉拉＝5的话，米米＋丽丽＝5；

艾艾＋拉拉≠5的话，米米＋丽丽≠5；

所以，丽丽和拉拉或者是都说了实话，或是都撒了谎。

假设她们都说了实话，丽丽≠2，拉拉≠2。由于拉拉的发言是真实的，米米≠3。

假设艾艾的话是真的（艾艾≠2），由于拉拉＋米米＝5，可得艾艾＋丽丽＝5，米米的话是假的，所以米米＝2。因此，拉拉＝3，丽丽的话就变成假的了。

因此，艾艾的话是假的，艾艾＝2。由于艾艾＋丽丽≠4。所以米米的话是假的，米米＝2。

由于丽丽的话是真的，所以拉拉＝3。那么，拉拉＋米米＝5，就成了艾艾有2个却又说了真话，这是自相矛盾的。

由此推知，前面的假设是不成立的。

她们都撒了谎，即丽丽＝2、拉拉＝2，由拉拉的发言（假的）可知，米米不等于3。

所以，艾艾的发言是假的，艾艾＝2，剩下的米米就是4个。

她们各自手上戴的钻戒数具体如下：

丽丽：2个；

艾艾：2个；

拉拉：2个；

米米：4个。

65. 谁和谁是一家

如果拿长笛的和跑步的是兄弟的话，根据跑步的人的发言，拿长笛的就是可可。拿书的所说不是关于兄弟的话就变成了真话，这就相互矛盾了。所以拿长笛的和跑步的不可能是兄弟。

如果拿长笛的和溜冰的是兄弟的话，根据拿书人的话（假话），可知拿长笛的人就是丁丁。拿长笛的关于是兄弟的话却成了假话，这相互矛盾了。因此拿长笛的和拿书的不可能是兄弟。

所以，拿长笛的和拿书的是兄弟，跑步的和溜冰的是兄弟。

66. 好学的当当

如果踢足球(第四项)在射箭的后面，那么踢足球和第五项共计花费3天以内时间，这与②相互矛盾。所以，第四项是踢足球，第五项是射箭。

根据条件①可知，踢足球最长就是9日、10日、11日的3天时间，根据条件②④，既不是1天也不是3天，所以只能是两天。

根据条件①，第三项(1天时间)是滑雪或者打保龄球。

假设是滑雪的话，滑雪只能在8日进行，第四项的足球用2天，所以第五项的射箭用了5天。那么根据④，剩下的网球和打保龄球就是3天和4天了，在1日到7日之间进行，由于4日那天没有打网球所以这个假设不可能成立。

因此，第三项是打保龄球，第一项是网球，第二项是滑雪。

打保龄球只有9日，雪橇是10日和11日。所以，射箭是从12日

开始的4天，网球是5天，剩下的滑雪是3天。

	运动项目名称	开始	结束
第一项	网球	1日	5日
第二项	滑雪	6日	8日
第三项	打保龄球	只有9日	
第四项	踢足球	10日	11日
第五项	射箭	12日	15日

67. 罪犯
大麻子。

68. 鸵鸟蛋

根据条件⑥得知，丁是3个。18岁的男孩是丙，21岁的男孩发现1个或者2个鸵鸟蛋(③)，19岁的男孩也发现1个或者2个鸵鸟蛋，所以丁是20岁。

因为21岁的男孩不是去了A岛(②)，所以，21岁的是甲，由此可推断，19岁的是乙。假设甲有2个鸵鸟蛋的话，那么乙就有3个，这与④相互矛盾。所以，甲是1个，乙是2个。因此可知，去C岛的人发现了2个，去C岛的是丙。

根据条件⑥可知，甲去了D岛，剩下的丁去了B岛。详见下图。

	年龄	岛	蛋
甲	21岁	D	1个
乙	19岁	A	2个
丙	18岁	C	2个
丁	20岁	B	3个

69. 小魔女们的小狗

根据①⑥，灰色眼睛的魔女、黑色服装的魔女、小欢子(红色眼睛)，3人饲养的小狗是1只、3只、4只（顺序不确定）……Ⅰ

根据②，绿色眼睛的魔女、红色服装的魔女、小安子3人饲养的小狗分别是2只、3只、4只(顺序不确定）……Ⅱ

根据③⑥，红色眼睛的魔女、茶色服装的魔女、小丹子3人饲养的小狗分别是1只、2只、4只(顺序不确定）……Ⅲ

小安子的眼睛不是红色的(⑥)，也不是蓝色的(⑤)，也不是绿色的(②)，所以是灰色的。

灰色眼睛是小安子，所以不是红色衣服(⑥)，也不是紫色衣服(④)，也不是黑色衣服(①)，应该是茶色衣服。

灰色眼睛的魔女在Ⅰ、Ⅱ、Ⅲ里面都出现过了，所以养了4只狗。还有1个人，在Ⅰ、Ⅲ里共同部分出现过的红色眼睛的魔女（小欢子）养了一只狗，所以，黑色衣服的魔女和小丹子不是同一个人。

根据Ⅰ黑衣魔女有3只小狗，在Ⅰ、Ⅱ里面都出现过的黑衣魔女和绿色眼睛的魔女是同一个人，黑衣魔女(绿色眼睛，3只)和小丹子不是同一个人,所以是小林子。

根据Ⅱ，红色衣服的魔女是小丹子。

所以，小林子的眼睛是绿色的，穿了黑色的服装，养了3只小狗；小欢子的眼睛是红色的，穿了紫色的衣服，养了1只小狗；小安子的眼睛是灰色的,穿了茶色的衣服，养了4只小狗；小丹子的眼睛是蓝色的，穿了红色的衣服，养了2只小狗。

70. 4对亲兄弟

甲的弟弟是D，乙的弟弟是B，丙的弟弟是A，丁的弟弟是C。

在甲、乙、丙3个人中只有一个人说了实话，而且这个人是D的哥哥，因此乙说的是假话，乙不可能是D的哥哥。由乙说的话得知，丙也不可能是D的哥哥，所以丙说的也是假话，由此可得，丁的弟弟是C。由于甲、乙两人都说了谎，而丁又不是D的哥哥，因此甲一定是D的哥哥，甲说的是实话。即：乙的弟弟是B，丙的弟弟是A。

71. 紧急集合

	谁的上装	谁的下装
李佳	房华	自己
刘方	自己	何林
房华	何林	刘方
何林	李佳	房华

72. 乌龟赛跑

假设丙的话是真话，那么丁的话也是真话了，从而，甲的话也是真话，所以乙上次是第二名。因此，上次的第一名既不是乙也不是丙，所以应该是丁或者甲。但是，无论哪个是上次的第一名，本应该都说真话的丙和丁的话至少有一个会变成假话。所以，丙的话只能是假话(名次下降，而且丁的名次没有上升)……Ⅰ

由于丙不是上次的第一名，这次的名次下降，所以这次是在第三名以下。所以，乙的话是假话，乙的名次也下降了。

假设丁的话是假话，甲的名次没有上升，而同时甲以外的三只乌龟的名次也全部下降，这是不合理的。

所以，根据Ⅰ可知丁的名次没有变化，根据他的话(真话)可知，甲这次名次上升了。

从甲的话(真话)来看，乙上回是第二名。丙上次既不是第一名也不是第二名而是第三名，这次是第四名，同样名次下降的乙这次是第三名。甲这次是从上次的第四名上升了，丁上次和这次都是第一名。所以，甲这次是第二名。

具体如下表：

	上次	这次
甲	第4名	第2名
乙	第2名	第3名
丙	第3名	第4名
丁	第1名	第1名

73. 门铃按钮

通门铃的按钮是从左边数第五个。如果令F表示该按钮，则6个按钮自左至右的位置以此是D、E、C、A、F、B。

74. 德拉家和卡卡家的狗狗们

棕色衣服的狗狗：卡卡家的多多。

黄色衣服的狗狗：德拉家的汪汪。

白色衣服的狗狗：德拉家的咪咪。

灰色衣服的狗狗：卡卡家的依依。

75. 谁是冠军
老大是体操全能冠军。

76. 太平洋里的鲸鱼
甲：1100米；

乙：1200米；

丙：800米；

丁：900米；

戊：1000米。

77. 雪地上的脚印
往返的脚印不同。扛着尸体时重量增大，所以留在雪地上的脚印就比较深，而返回时是空手而归，脚印浅，所以断定报案者就是凶手。

78. 情报电话
福特在打电话时做了点手脚。在通话时，他一讲到无关紧要的话，就用手掌心捂紧话筒，不让对方听到，而讲到关键的话时，就松开手。

这样，家人就收到了这么一段"间歇式"的情报电话："我是福特……现在……金冠大酒店……和坏人……在一起……请您……快……赶来……"

79. 4个兄弟一半说真话
说真话的(二哥和小弟弟)不可能说"我是长兄"，所以，劳茵的话是假的，那么可知，劳茵不是长兄，而是三哥。那么，劳莎就不是三哥了，劳特的话就是真的，劳特就是二哥或者小弟。

假设劳拉说的是真话，劳特和劳拉就是二哥和小弟(顺序暂时未知)，劳莎就是长兄了，则劳拉又在撒谎，这是相互矛盾的。所以，劳拉是长兄。

从劳拉的话中可知(假话)，劳莎是二哥，劳特是小弟。

80. 猜拳
不正确。

两个人猜拳的排列组合有9种(3 × 3)，所以有1/3的机会是平手。

而三个人猜拳时，排列组合有27种(3 × 3 × 3)，会造成平手的情况如下：

"石头、石头、石头"；"石头、布、剪刀"；"石头、剪刀、布"；"剪刀、石头、布"；"剪刀、剪刀、剪刀"；"剪刀、布、石头"；"布、石头、剪刀"；"布、剪刀、石头"；"布、布、布"。

因此也是9种情况，平手的机会一样是1/3。

81. 生日派对

蓝色。

假设大毛和二毛的帽子都是红色的，而会场上只有两顶红帽子，那么三毛应该立刻回答自己的帽子是蓝色的。

所以，大毛和二毛戴的帽子有两种可能：①一顶红色和一顶蓝色；②两顶都是蓝色。

二毛看得到大毛的帽子，如果大毛戴的是红色的话，便符合①的状况，那么二毛应该可以答出自己的帽子是蓝色的才对。

他之所以答不出来的原因，相信你也已经猜到了吧，那就是因为大毛的帽子是蓝色的。

82. 5秒钟难题

凶手是送牛奶的人。因为只有知道金姆森太太已经遇害，他才不再到这里送牛奶，而送报纸的人显然不知道这一点，每天仍然准时把报纸送来。

因此，送报纸的虽然每天都来，却因此被排除了嫌疑。送牛奶的人作案后，显然没有想到这桩凶案在十多天以后才被人发现，他停止送奶的行为恰恰暴露了自己的罪行。

83. 问什么问题

智者所问的问题是"你是这个国家的居民吗？"如果对方回答"是"，那么这个国家一定是A国；否则，这个国是B国。

84. 说谎者

甲和丙。

先假设乙是老实人，那么，把丙说的话颠倒过来，戊就成了老实人。接着，甲跟丁也是老实人，这样就超过只有两个人的限制了。

那假设丁是老实人的话，把甲说的话颠倒过来，乙就成了老实人。但是照丁的说法，乙应该是个骗子，这样就产生矛盾了。

再假设戊是老实人试试看，加上甲和丁，老实人变成了三位，所以也行不通。

看看剩下的甲和丙所说的话，就跟题目的条件相吻合。

85 外星来客

假设阿波罗撒谎，从泰勒和比尔的发言来看，比尔和阿波罗是同一星球的，进一步从莱布的发言来看，比尔和泰勒是不同星球的，结果阿波罗的发言反而不是谎言，与前面的假设相矛盾。所以，阿波罗的发言是真实的。

假设撒谎的是泰勒或是比尔或是莱布都是一样，他们的发言都是真实的。

所以，泰勒撒了谎，从而可知比尔和莱布都是水星人。

因此可推断，泰勒、费卢是火星人，阿波罗、比尔、莱布是水星人。

86 两个乒乓球

当然不是。

小雪从袋子里拿出一个乒乓球之后，立刻藏在身后。明明肯定要求小雪把它亮出来，而此时小雪就说："我亮没亮出来没有关系，只要看看袋子里面留下的是什么颜色的乒乓球就知道我拿的是什么颜色的乒乓球。"

明明当然会无话可说。

87 篮球比赛

3 胜 1 败。

全部共有 10 场比赛，各校都必须跟其他四所学校对打一场，4 × 5=20(场)，但是每场有两校出赛，所以 20 ÷ 2=10(场)。也就是说，总共应该会有 10 胜。一至四中合计共有 7 胜，那么剩下的 3 胜便是五中的了，并可以马上算出五中有一败。

88 骗子村的老实人

"今天要不是星期一，就是星期二。"因为"今天是星期二"这句话，在星期一也可以说。

89 教授的课程

张教授教历史和体育，赵教授教英语和生物，彭教授教数学和物理。

90 谁在谁的左边

不一定。

如果照图中所示，她们围成一圈的话，沙沙就会在林林的右边。

91. 蜜蜂、蝴蝶和蜻蜓

五次。

92. 谁姓什么

王大明、张二明、李三明、赵四明。

93. 血缘关系

尼萨是在前面那家店打工的男孩的妈妈。不过，看起来尼萨和她儿子感情不是太好。

94. 谁大谁小

小田。

95. 小猫的名字叫什么

D不是"咪咪"(①)，也不是"花花"(③)，也不是"球球"(④)，也不是"黑黑"(④)，也不是"忽忽"(⑤)，所以是"兰兰"。

A不是"咪咪"(③)，也不是"球球"(④)，也不是"黑黑"(④)，也不是"忽忽"(⑤)，所以是"花花"。

所以，由②和④可知，"球球"是C。

由①可知，"咪咪"是B。

由④可知，"黑黑"是E。

剩下"忽忽"就是F了。

96. 4个小画家

4个人中只有一个人的画回到自己那里，所以循环的形式只能是"Q(开始位置)""X→Y""Y→Z""Z→X"(即使存在"X→Y""Y→X")的情况，那么Z的画也会循环到她的手里)。

根据条件可知，因为方方没有拿着自己的画，所以方方不是Q。那么，假设方方是X，根据题目可知：

方方→Y Y→Z Z→方方(蒙娜丽莎)

根据条件可知，Y不是洋洋，Z也不是洋洋，所以Q是洋洋。洋洋在循环后拿到了自己的画"最后的晚餐"。

美美拿着"最后的晚餐"，

从上面的分析可知，美美是从方方或者莉莉那里得到了画，所以方方和莉莉画的是"最后的晚餐"。

所以，画"蒙娜丽莎"的Z是美美，Y是莉莉。

97. 玩具世界

一只狗、一只熊猫、一只洋娃娃。

98. 财政预算方案

先投乙方案，在第二次投票时还是投乙的方案。

根据甲案：张先生将获得2亿元，甲案较乙案对张先生比较有利。同样的，对王先生来说也是甲案比较有利，所以如果张先生投甲案的话，甲案就会通过了。

但是接下来甲、丙两案表决时，对王先生和李先生来说都是丙案有利，所以张先生将败北，得到的预算将是0。

为了避免这种情形发生，张先生在一开始便投乙案，接下来当乙、丙两案表决时，仍投乙方案，使乙案通过，那么就可以顺利得到1亿了，这是退而求其次的选择。

但如果可以让乙、丙两案先表决，然后再跟甲案做表决的话，张先生就有可能得到2亿的预算。

99. 花样扑克

有胜算。

假设朝上的是√，朝下的是√或×的机会并不是一半一半。

朝下的是√的机会有两个：一个是第一张卡片的正面朝上时；另一个是第一张卡片的反面朝上时。

但朝下的是×的机会，只有当第二张卡片正面朝上的时候。

也就是说，只要回答朝上那面的图案，他就有2/3机会赢。

100. 坚强的儿子

儿子说："如果我正直的话，就不会被神遗弃；如果我不正直，就不会被大众所背叛。所以不论如何，我都不会被背叛的。"

101. 富足的法国人

就是法国人的岁数。题目之所以绕来绕去说这么多，目的是想迷惑你。

102. 恐怖游戏

一般来说，后开枪的人有利。

如果以数学概率做严密计算，会发现两个玩家的死亡概率都是1/2。但从逻辑的角度来看，应该是后开枪的人有利。比方说当两个玩家发现弹匣里只有最后一发子弹时，后发的人可以朝对方先开一枪，然后再逃离现场。

103. 什么店
酒吧。

104. 称糖
分别把三块糖设编号为1、2、3。我们可以先称出1号和2号两块糖的总重量，然后再把3号糖放上去，称出这三块糖一共的重量。这样，用它们的总重量减去1、2两块糖的重量，就得到了3号糖的重量。以此类推，可以分别称出1号、3号糖的重量和2号、3号方块糖的重量，用总的重量去减，就得到了2号和1号糖的重量。

105. 谁是小偷
E是小偷。

106. 仙女和仙桃
西西最初有6个，吃了2个，剩下了4个；安安最初有7个，吃了1个，剩下了6个；米米最初有5个，吃了2个，剩下了3个；拉拉最初有4个，吃了2个，剩

下2个。

107. 白纸遗嘱
其实，简的妻子为了保住遗产，故意把没有墨水的钢笔递给简。由于库尔和简都是盲人，自然也就没有发现，没有字的白纸最终被当成遗书保存下来。

可是，虽然没有字迹，但钢笔划过白纸留下的笔迹仍然存在，如果仔细鉴定是可以分辨出来的，所以遗嘱仍然有效。

108. 糊涂的答案
老年人和年轻人是父女关系。之所以很多人对此题久思而未得其解，那是自己陷入了逻辑思维障碍陷阱，错误地接受了题目的心理暗示，认为那个年轻人是男性。其实题目中没有任何条件规定年轻人须是男性。

109. 会说话的指示牌
足球场的指示牌上都是真话；健身房的指示牌上都是假话；篮球场的指示牌上一句是真话，一句是假话。

110. 来自哪里
甲来自新德里，乙来自巴西

利亚，丙来自罗马，丁来自华盛顿，戊来自费城。

111. 杀人浴缸

思维定势是侦探最大的敌人。在海水中溺死是一条重要的线索，同时它也在暗示警察案发地点是在海边，而特里拥有不可能作案的时间证据。

实际上，如果仔细思索一下，并不是被海水溺死就一定发生在海边，如果有足够多的海水的话，在浴缸里同样也能作案，然后放掉海水，装满淡水，这只需要10分钟就足够了。

112. 复式别墅

老王、李平和美美是一家；老张、杜丽和丹丹是一家；老李、丁香、壮壮是一家人。

113. 康乃馨

张妈妈的花由5朵黄色、1朵白色、1朵红色、1朵粉色组成。

王妈妈的花由2朵黄色、3朵白色、2朵红色、1朵粉色组成。

李妈妈的花由1朵黄色、3朵白色、3朵红色、1朵粉色组成。

赵妈妈的花由1朵黄色、2朵白色、1朵红色、4朵粉色组成。

董妈妈的花由1朵黄色、1朵白色、3朵红色、3朵粉色组成。

114. 动物园里的动物们

猴子：9只。
熊猫：13只。
狮子：7只。

115. 生日礼物

礼物在 B 盒。

116. 3 只八哥

罗伯特来自 A 国；丽萨来自 B 国；艾米来自 C 国。

117. 失误的程序员

左边的机器人是犹豫不决的机器人，中间的机器人是骗子机器人，右边的机器人是诚实机器人。

118. 陌生的邻居

119. 年龄的秘密

A 是 54 岁，B 是 45 岁，C 是 4 岁半。

120. 沙滩上的尸体

凶手是风。正当死者享受日光浴时，海滩上突然刮起一阵飓风，把太阳伞吹起，当风吹过后，那把太阳伞正好插入了死者的腹部。

121. 天平不平

因为每个秤盘和金条的重量相同，所以只要把左边的金条移动 1 块到右边即可。即：（7＋1）× 3（3 个轴心）=24=（4＋1＋1）× 4（4 个轴心）。

122. 胡萝卜在哪里

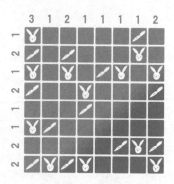

123. 币值的大小

这 5 种比值的价值顺序由小到大的排列为：C、D、E、B、A。

124. 棋盘上的棋子

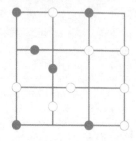

125. 玛瑙戒指

因为奇奇和兜兜的话是相互矛盾的，所以 2 人之中必有 1 人在撒谎。

假设奇奇说的是真话，那么兜兜的话就是假的，从奇奇的话来看，天天是妖性的女子，就是说撒谎的兜兜戴着玛瑙戒指了，这样的话，天天的话就不是假的了。

所以，奇奇的话应该是假的（而且，天天不是妖性女子），兜兜的话是真的。

因为天天的话是假的，所以天天应该戴着玛瑙戒指，撒谎的奇奇就是妖性女子了。

126. 猜谜

第一个魔球是红色的，第二个魔球是绿色的，第三个魔球是黑色的，第四个魔球是黄色的，第五个魔球是蓝色的。

127. 期末考试的成绩

婷婷得了第四名，亮亮得了第二名，佳佳得了第三名，小美得了第一名。只有婷婷估错了。

128. 字母逻辑

Z 应该是黑色。因为所有的黑色字母都能一笔写完，白色的字母就不能。

129. 什么关系

张先生是最高领导人，张先生直接给"我"和董先生安排工作；"我"直接给王先生、李小姐安排工作；董先生直接给赵小姐、杜小姐安排工作。

130. 皇妃与侍女

这20位皇妃都立刻杀了自己的侍女。

假设皇妃只有 A、B 两个人，A 皇妃肯定会想：B 肯定知道我的侍女是好是坏。如果我的侍女是好人，她肯定会杀了她的侍女，结果就会刊登在第二天的报纸上。如果早上的报纸没有刊登这条消息，那么我就在第二天杀了我的侍女……以此类推。到第20天，报纸没有刊登消息，那么所有的皇妃就都杀了自己的侍女。

131. 死囚

不可能。死囚会被处死。

因为执行绞刑的日期可以放在规定日期内的任何一天。如果死囚提出"今天不能执行绞刑，因为我已经知道了今天要被处以绞刑，按照法官的命令，今天就不能执行绞刑了"的反对时，行刑者可以这样回答："要是这样的话，说明你还没有想到今天要执行绞刑，按照规定，你没有想到今天被处死，所以今天能够对你执行绞刑。"

132. 破解僵局

甲是人，乙是天使，丙是魔鬼。

133. 卡洛尔的难题

不能。由①知：标有日期的信——用粉色纸写的；②知：丽萨写的信——"亲爱的"开头；③知：不是约翰写的信——不用黑墨水；④知：收藏的信——不能看到；⑤知：只有一页信纸的信——标明了日期；⑥知：不是用黑墨水写的信——做标记；⑦知：用粉色纸写的信——收藏；⑧知：做标记的信——只有一页信纸；⑨知：约翰的信——不以"亲爱的"开头。

综上所知：丽萨写的信——不是约翰写的信——不是用黑墨水——做了标记——只有一页信纸——标明了日期——用粉色写的——收藏起来——皮特不能看到。所以，皮特不能看到丽萨写的信。

134. 谁是司机

A 是司机。

135. 谁买了什么

A在一层买了一双鞋，B在三层买了一本书，C在二层买了一架照相机，D在四层买了一块表。

136. 韩教授的一周行程

星期五。

137. 墓碑上的碑文

3 个人。

138. 谁是凶手

假设死者是自杀的。

甲说"死者不是乙杀的"就是假话，则是乙杀的。

乙说"他不是自杀"是假话，则"甲杀的"是真的。

丙说"是乙杀的"如果是真话的话，那么"不是我杀的"就是假话，丙承认自己杀了人。从以上分析结论是矛盾的，是不合逻辑的。

假设死者不是自杀。

甲说"死者不是乙杀的"是真的。

乙说"是甲杀的"是假，即不是甲杀的。

丙说"不是我杀的"是真。

既然凶手不是甲、乙、丙"所提及的人"，只剩下医生。因此，凶手就是医生。

139. 吃西瓜比赛

吴刚参赛4次，刘某因故没

有参加，可以知道吴刚与刘某是一对情侣；孙全和钱佳是一情侣；赵亮和周文是一情侣；李利和张落是一情侣；王林和郑成是一个情侣。

140. 今天星期几

7个人的观点如下：小红：星期一；小华：星期三；小江：星期二；小波：星期四、五或者日；小明：星期五；小芳：星期三；小美：星期一、二、三、四、五或六。

综上所知除了星期日外，都不止一个人说到，因此，今天是星期日，他们都可以睡一会懒觉，小波所说正确。

141. 月亮宫里的姑娘

戴黄色头冠的是光光。

戴白色头冠的是贝贝，变成了魔鬼。

戴蓝色头冠的是木木。

戴黑色头冠的是乔乔。

142. 谁看了足球赛

B看了足球赛。

143. 谁是玛丽的朋友

C。此题需要按顺序来思考，首先假设答案为G、C或L，再依"只有4个人说实话"的条件，剔除不合适的人选。

144. 你要哪一只钟

你也许会选择一天只慢一分的那只。好，那我们就来看看：一天慢一分的那只手两年内表要走慢12小时（即720分钟）之后才能重新标准，因此它在两年内只准确一次。现在看看你要哪一只吧。

145. 赴宴会

根据新娘在没有丈夫的陪伴时不许和别的男子在一起的规定，至少需要往返11次。

146. 礼服和围巾的问题

你只需要检查"2件晚礼服、1条围巾"的盒子里装的是什么物品，就行了。如果里面装的是3件晚礼服，那么"3条围巾"的盒子里装的就是"2件晚礼服、1条围巾"，另一个盒子里装的就是3条围巾；如果里面装的是3条围巾，那么"3件晚礼服"的盒子里装的就是"2件晚礼服、1条围巾"，那么另一个盒子里装的就是3件晚礼服。

147. 预测机

局长说："预测机下一个预测结果会亮红灯。"如果预测机亮红灯表示"不会"，那么预测机就预测错了，因为事实上它已经亮起了红灯。如果它亮绿灯说"会"，这也错了，因为实际上亮的是绿灯，而不是红灯。这样预测机就预测不准确了。

148. 男生和女生

男生有 4 个，女生有 3 个。

149. 音乐会上的阴谋

埃利事先已作好演出准备的事实，说明他对巴蒂的死和自己将上场演出有准备，这就证明他涉嫌谋杀。如果他事前不知，他上场前就应准备，用松香先擦擦弓，并调好琴弦。

150. 圣诞老人

他们到达约会地点的先后顺序是：D、E、C、A、B。

依据题目给出的条件，很快就可以分析出 A、B、C、E 都不是第一个，只有 D 是第一个到达的。

由"E 在 D 之后"，可以知道两人的顺序是：D、E。

由"B 紧跟在 A 后面"得知两个人的顺序是：A、B。

由"C 不是最后一个到达约会地点"，可以得知这样的顺序：C、A、B。

所以，总的先后顺序是：D、E、C、A、B。

151. 三兄弟购物

强强：书包。

壮壮：篮球。

冬冬：英语字典。

152. 找出异常的小球

将 12 个球分别编号为 1 ~ 12，再把球分成 A、B、C 三组，每组 4 只球。A 组为 1、2、3、4，B 组为 5、6、7、8，C 组 9、10、11、12。取 A、B 两组在天平上称，有两种可能：

①1、2、3、4 和 5、6、7、8 相等，那这个球在 9、10、11、12 中，第二次取 9、10、11 与 1、2、3 相称。

如果 9、10、11 与 1、2、3 相等，则为 12，第三次可判断其轻重；

如果 9、10、11 与 1、2、3 不相等，可知道此球的轻或重，第三次则取9和10相称，如相等，则是11，如不相等，则根据上一步的重量判断结果，找出其中之一。

②1、2、3、4和5、6、7、8不相等。要先弄清楚是哪一边重，看第二步。

第二步假设是1、2、3、4这边重，将1、2、5与3、4、6拿来称；

如果相等，则在7、8中，且异重球是轻的，第三次只要将7和8拿来称，哪个轻就是那个；

如果不相等，要是1、2、5这边重，则第三步拿1与2相称，如果1和2相等，则这个球肯定是6，如果1和2不相等，则是其中更重的一个，反之亦然。

153. 9枚硬币

由于只有9枚硬币，因此谁先开局就必定会输。

154. 小花猫搬鱼

把盘子分别编号为甲、乙、丙、丁。

① 先取出甲、乙盘中的各一条鱼放在丙盘里。

② 再把甲、丙盘中的各一条鱼放到乙盘中。

③ 再把甲、丙盘中的各一条鱼放到丁盘中。

④ 把乙、丁盘中的各一条鱼放到甲盘中。

最后，把乙、丁盘中各剩下的一条鱼都放到甲盘中。

155. 见面分一半

小猴子原来有94个桃。

156. 疯狂飙车

两兄弟交换了彼此的摩托车。

157. 真假钻石

这里有一个规律：无论从哪一颗钻石开始数起，每次拿走第17颗，依此进行，最后剩下来的，必然是最初开始数的第3颗钻石。

158. 凶杀案

因为王太太说了真话，由此可以推断赵师傅作了伪证，再进一步推断张先生和李先生说的都是假话，从而可以判断A和B都是凶手。

159. 神秘岛上的美女

商人随便问其中一位美女，比如问甲："你说乙比丙的等级低吗？"如果甲回答"是"，那么应该选乙做妻子。如果甲是君子，则乙比丙低，因此乙是小人，丙是凡夫，所以乙保证不是狐狸；如果甲是小人，则乙的等级比丙高，这就意味着乙是君子，丙是凡夫，所以乙一定不是狐狸；如果甲是凡夫，那么她自己就是狐狸，所以乙肯定就不是狐狸。因此，不管什么情况，选乙都不会娶到狐狸。

如果甲回答的是"不是"，那么商人就可以挑选丙做妻子。推理方法同上。

160. 常胜将军

根据②常胜将军与表现最差的人年龄相同；根据①常胜将军的双胞胎与表现最差的人性别不同，因此 4 个人中有 3 个人的年龄相同。由于张老师的年龄肯定比他的儿子和女儿大，从而年龄相同的必定是他的儿子、女儿和妹妹，这样，张老师的儿子和女儿必定是①中所指的双胞胎。因此，张老师的儿子或者女儿是常胜将军，而张老师的妹妹是表现最差的选手。根据①，常胜将军的双胞胎一定是张老师的儿子，而常胜将军无疑是张老师的女儿。

161. 看图做联想

这些物品都是成对出现的。

162. 白马王子

因为亚历山大、汤姆和皮特只符合一个条件，只有杰克符合两个条件，所以他当然符合第三个条件。

163. 输与赢

是二毛说的这番话。在开始打赌前，大毛有 30 元，二毛有 50 元，三毛有 40 元。

164. 谁是谁的新娘

秋红是大林的新娘、春红是二林的新娘、夏红是小林的新娘。

165. 奇怪的城镇

他应该选择星期五出门。

166. 圣诞舞会

根据题目信息得知：有 6 对伴侣。

如果 X 是已婚女士的人数，

那么6-X等于处于订婚阶段的女士的人数，还等于处于订婚阶段的男士的人数，还等于已婚男士的人数。

如果Y是单独前来的已婚男士的人数，那么已结婚而和夫人一起来的男士的人数加上单独来的已结婚的男士的人数，等于已婚男士的总人数：X + Y=6 - X。于是，单独前来的已婚男士的人数等于6-2X。

舞会上没有订婚的女士的人数，则等于：7 - (6 - 2X) - (6 - 2X)，即4X - 5。

由于4X - 5等于还没有订婚的女士人数所以X不能等于0，或者1。而罗文先生是还没有订婚的男士，于是X不能大于2，否则还没有订婚的男士的人数（6 - 2X）将成为0甚至是负数。所以X必定等于2。

因此，这次舞会上有2位已婚的女士、4位处于订婚阶段的女士和3位还没有订婚的女士。而丽莎是一位已经订婚还没有结婚的女士，看来罗文先生的机会不是太大了。

167. 连线谜题

168. 超市盗窃案

根据他们提供的证词，可得出下面两种可能：

A

①乙说：甲没有偷东西。

②丙说：乙说的是真话。

③甲说：丙在撒谎。

B

①丙说：甲没有偷东西。

②乙说：丙在撒谎。

③甲说：乙说的是真话。

对于A而言，②支持①；而③否定②，进而否定①。所以，供词就变成了：

①乙说：甲没有偷东西。

②丙说：甲没有偷东西。

③甲说：甲是有罪的。

显然，A是不可能的。

对于B而言，②否定①，③肯定②进而③否定①。所以，供词就变成了：

①丙说：甲没有偷东西。

②甲说：甲偷东西了。

③乙说：甲是有罪的。

根据已知条件得知：假设"甲有罪"，那么甲说了真话且是有罪的，显然这是不可能的。

假设"甲没有偷东西"，那么甲是无辜的，且乙和丙都撒了谎，所以他们两个人必有一个人是有罪的。由于甲是无辜的，所以乙就是盗窃者。

169. 一模一样

警探想，这个小伙子可能有一个孪生兄弟，找户口册一看，果然如此。因此，他们很快就抓获了凶手。

170. 同学聚会

经过推断，他们4人正确的坐法是：

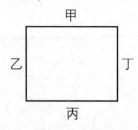

是丙把丁毒死了。

171. 休闲城镇

根据已知条件得知，餐厅在星期一、星期二、星期四、星期五和星期六开门营业，在星期日和星期三关门休息，而其中连续三天的第三天关门休息，因此，这连续三天的第一天不是星期五就是星期一。

因为一星期中没有一天餐厅、百货商场和蛋糕店全都开门营业，那么蛋糕店在星期四和星期五就关门休息，由于丁丁到达休闲城镇的那一天蛋糕店开门营业，所以那一天一定是星期一。

172. 猜扑克牌

所有纸牌的情况如下：

　　　K
　　J A Q
　　J K J
　　　K

173. 两个电话

这个问题的答案有好多种。例如在晚上11点57分左右，第一个朋友问他"今天足球赛的结果如何？"然后后过了12点进入新的一天后，另一个朋友打来电话问同样的问题。

174. 孤独的小女孩

唐唐周一吃了 3 个椰蓉面包，1个豆沙面包；周二吃了1个椰蓉面包，4个豆沙面包；周三吃了4个椰蓉面包，2个豆沙面包；周四吃了2个椰蓉面包，5个豆沙面包。

175. 填色游戏

176. 地图

当你走到只有左转或者右转两种选择的T字路口时，只要左转就行了。

177. 照片上的人

这个人在看她丈夫的继母的外孙媳妇的照片。

178. 生日会

拉拉属于乙家庭。

甲家庭的年龄组合为：8、10、11、12；乙家庭的年龄组合为：5、13、2、3；丙家庭的年龄组合为：1、4、7、9。

179. 谁有钱

老大、老四和老五有钱，说假话；老二和老三没钱，说真话。

180. 粗心的汤姆先生

雷米撒了谎。因为第113页和第114页是一页。

181. 原始森林

当然可以喝。

在一个晴朗的午后说"今天天气真好啊"，对方回答"是的"，可想而知对方一定是说实话的人，水自然也可以喝。

182. 成绩表

	语文	数学	英语
宇春	丙	乙	丙
夏丽	丙	甲	乙
江子	甲	甲	甲
雷雷	甲	甲	乙

183. 谁击中了杀手

如果8个保镖中有3位猜对，杀手是C击中的；如果8个保镖中有5人猜对，杀手是G击中的。

184. 灌蓝高手

	最初	送给谁	数量	交换后
小花	7幅	小娟	4幅	5幅
小娟	5幅	小美	3幅	6幅
小叶	8幅	小花	2幅	7幅
小美	6幅	小叶	1幅	8幅

185. 3个女儿采花

小女儿最诚实，大女儿和二女儿都撒了谎。小女儿采了3束，二女儿采了1束，大女儿最懒，一束都没有采。

186. 家庭案件

母亲是凶手，父亲是同谋，儿子是被害者，女儿是目击者。

187. 消失的颜色

绿色。这些圆圈的排列顺序一开始是红色，接下来的是黄——蓝——绿，然后以此顺序排列。

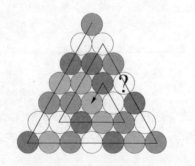

188. 小鸟吃虫子

黄鸟：4厘米的红色虫子。
白鸟：3厘米的黑色虫子。
黑鸟：6厘米的红色虫子。
绿鸟：5厘米的黑色虫子。

189. 游泳冠军

4个人名次排列顺序是：丙、乙、甲、丁，丙是游泳冠军。

190. 4公里差距

一般汽车的里数表，都是根据后轮或前轮(看汽车由哪个轮驱动)的转动次数来计算里数的。向前转则里数表显示前进的里数，向后驶时里数表会倒过来走。

山野当然不可能将汽车倒行4公里，但他利用汽车泵把汽车的后轮抬起(假设车子是由后轮驱动的)，把车轮向反方向逆转，于是改变了里数表的读数。

191. 奇怪的中毒事件

轮胎里充满了高压氰酸钾气体，罪犯是在前一天晚上悄悄溜进车库作案的。

第二天早晨，当被害人想出车时，发现一个轮胎气太足了，这样车跑起来会出危险，便拧开气门芯放些气。就在这一刹那，剧毒的氰酸钾气体喷射出来使其中毒身亡。

192. 缺一种声音

如果真的是在书房被枪杀的，那么磁带中就理应录上了昨晚报时钟报22点的鸽子叫声。之所以录音中没有鸽子的叫声，是因为凶手是在别处一边录音，一边枪杀受害人的。

193. 谁是老大

如果张三说的是实话，那李四、阿七说的也不错。但只有一个人说实话，张三、李四、阿七说的都是假话，只有王五说的是实话，李四是老大。

194. 寻找果汁

甲瓶子：可乐。
乙瓶子：白酒。
丙瓶子：果汁。
丁瓶子：啤酒。

195. 扑克牌

红桃。

196. 魔术阶梯

施罗德阶梯为你提供一个有用的信息：你要将卡片中的6和9倒过来放。这样卡片就能形成连续数字(9、10、11、12、13)。

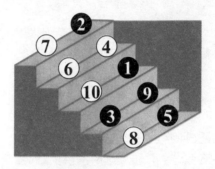

197. 赌局

跟贾老大一样押500个金条在"三的倍数"。基本上只要跟贾老大用同样的下注方法即可。

如果贾老大赢了，蒋老大也会得到同样的报酬,他们的名次就不会受影响，就算贾老大输了，名次还是不会受影响。

事实上蒋老大只要押400个以上的金条，赢的话金条数就会在1500个以上，仍是第一名。

所以，在这种场合，手里有较多金条的人便是赢家。

198. 女秘书

如果①和②是假话，则玛丽

就是同谋，琳达就是凶手，莉莉是毫不知情者，那么③就是假话。

如果①和③是假话，则玛丽是同谋，而莉莉是毫不知情者，琳达就是凶手了，这样②也成为假话。

如果②和③是假话，则琳达就是凶手，而莉莉是毫不知情者，那么玛丽就是同谋，这样①也成为了假话。

因此，毫不知情者作了两条证词。再进一步推测，如果毫不知情者作了②和③这两条供词。即然②③是真的，那么①就是假的，可知玛丽是同谋，与前面的结论相矛盾，因此这是不可能的。以此类推下去，可以知道莉莉是毫不知情者，琳达是同谋，玛丽是凶手。

199. 迷路的兔子

这只是正确答案的一种，你可以发挥你的想像帮兔子小姐设计路线。

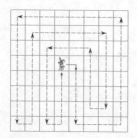

200. 冰上过河

有两种办法：一是清除河面上的积雪，使寒冷传至冰层以下；二是在冰面上浇水。